永遠の出口

森　絵都

集英社文庫

永遠の出口　目次

イラスト　藤井たつみ
デザイン　池田進吾（67）

永遠の出口

第一章　永遠の出口

私は、〈永遠〉という響きにめっぽう弱い子供だった。

たとえば、ある休日。家族四人でくりだしたデパートで、母に手を引かれた私がおもちゃ売場に釘づけになっている隙《すき》に、父と姉が二人で家具売場をぶらついてきたとする。

「あーあ、紀《のり》ちゃん、かわいそう」

と、そんなとき、姉は得意げに顎《あご》を突きあげて言うのだ。

「紀ちゃんがいないあいだにあたしたち、すっごく素敵なランプを見たのに。かわいいお人形がついてるフランス製のランプ。店員さんが奥から出してくれたんだけど、紀ちゃんはあれ、もう永遠に見ることがないんだね。あんなに素敵なのに、一生、見れないんだ」

永遠に――。

この一言をきくなり、私は息苦しいほどの焦りに駆られて、そのランプはどこだ、店員はどこだ、と父にすがりついた。おもちゃに夢中だった紀子《のりこ》が悪いと言われても、見るまでは帰らないと半泣きになって訴えた。

この広大な建物のどこかに眠る素敵なランプ。今、見なければ私は永遠にそれを見ることができない。確かにそこにあるものを、そこに残したまま通りすぎてしまう。それは私の人生における大きな損失に思えた。すごくもったいないし、なんだか不安でもある。そこに残したままのものが増えていくこと、私の知らないものが知らないうちに知らないところへ押しやられていくことに、私はくらくらするような恐れとさびしさを感じていた。

両親も気づかずにいたこの弱点（永遠に〜できない）を見抜いたのは、後にも先にも三つ年上の姉だけだった。彼女はそれをあますところなく活用し、様々なバージョンで執拗《しつよう》に攻撃をしかけてきた。

「あたし今日、友達んちですっごく貴重な切手を見せてもらったの。すっごく高くて、すっごくめずらしいやつ。でも、紀ちゃんはあれを永遠に見ることがないんだね」

「紀ちゃん、昨日、なんであんなに早く寝ちゃったの？『水戸黄門』最高だったのに。昨日はにせものの水戸黄門が登場して、でもほんとにそっくりでびっくりだったのに。紀ちゃんはもう永遠に、死ぬまであのそっくりさんを見れないんだ」

「今日、二組の斉藤くんが昼休みに生徒会の選挙演説に来たんだけど、途中から斉藤くんコンサートが始まっちゃって、それがすっごい音痴でおかしいの。もう、みんな大爆笑！　あたしあれ、一生、忘れないと思う。紀ちゃんは一生、見れないけど」

永遠に。

一生。

死ぬまで。

姉の口からそんな言葉が飛びだすたびに、私は歯を食いしばり、取り返しのつかないロスをしてしまったような焦燥《しょうそう》と闘い、でも結局は敗れて、もはや永遠に出会うことのないレアもの切手やニセ黄門様や斉藤くんの歌声のために泣いた。すべてを見届け、大事に記憶して生きていきたいのに、この世界には私の目の届かないものたちが多すぎた。とりこぼした何かを嘆いているうちに、また新しい何かを見逃してしまう。

裏を返せば、私がそれだけ世界を小さく見積もっていた、ということだろう。

年を経るにつれ、私はこの世が取り返しのつかないものやこぼれおちたものばかりであふれていることを知った。自分の目で見、手で触れ、心に残せるものなどごく限られた一部にすぎないのだ。

（永遠に〜できない）ものの多さに私があきれはて、くたびれて観念し、ついには姉に何を言われても動じなくなったのは、いつの頃だろう。

いろいろなものをあきらめた末、ようやくたどりついた永遠の出口。

私は日々の小さな出来事に一喜一憂し、悩んだり迷ったりをくりかえしながら世界の大きさを知って、もしかしたら大人への入口に通じているかもしれないその出口へと一歩一歩、近づいていった。

時には一人で。

時には誰かと。

決して一緒には歩かないけれど、ぶつかることで私を前へ押しだしてくれる相手もいた。

好恵《よしえ》もそんな一人だった。

好恵は一見、まるで普通の女の子だった。ごく平凡、と言ってもいい。愛嬌《あいきょう》はあるものの、どこか大雑把《おおざっぱ》でバランスの悪い顔立ち。中肉中背なのにお腹のあたりだけがデンとした体型。勉強も運動も人並みで、授業中に積極的に手を挙げることもなければ指《さ》されて黙することもなく、運動会で活躍することもなければ足を引っ張ることもない、至極平均的な小学三年生。

そんな好恵がなぜ、クラスで一番、男子にモテたのか？

三年三組最大のこの謎に、私がようやく満足しうる答えを見出したのは、あの頃を遥《はる》か遠く思う大人になってからのことだ。

つまるところ、彼女はリアクションの達人だったのである。

たとえば、いたずら好きの男子に「よっ」と頭をはたかれたとする。大抵の子は不意を衝《つ》かれて、すぐには反応することができない。しかし、好恵は瞬時にキャッと悲鳴を上げ、「やっだー、もう、痛いじゃん。頭五ミリもへこんじゃった、責任とってよね」などと怒りながらも媚《こ》びた笑みをむけて、「お返し、お返し」と男子を追いかけまわしてスキンシップの喜びまでも与えてあげる、至れり尽くせりの切れ者だったのだ。

この抜きんでた才能を駆使して、好恵は年中無休でクラスをにぎわした。男子たちが他愛のないギャグを飛ばせば、「げーっ、つまんなーい」と顔をしかめつつ、誰よりも高らかな笑い声を上げる。女子の多くがしりごみをするエッチな話題にも、自ら首を突っこんで話をふくらませる。「好恵の好の字は好き者の好。おぬしも好きよのう」などと男子にからかわれても、「しかし、私が好きなのはおぬしではごじゃりません」などと即座にやり返して場を沸かせる。

日々、すさまじい速度で成長していく男子たちが、この好恵のスピード感に心惹《こころひ》かれないわけがない。彼らはクラス一の美人より、成績優秀な才女より、活発なスポーツ少女より、物静かな大和撫子《やまとなでしこ》より、打てば響くような好恵のリアクションを選んだ。こいつは自分を楽しませてくれる、と思わせる女に男はいつでも弱いのだ。

というのは、しかし今だからわかることで、小学生の目には好恵の人気が意味不明だった。当時の私から見た好恵はキンキンやかましく、下品で、暇さえあれば男子にちょっかいを出しているませガキにすぎなかった。サービス精神があるので一緒にいると楽しいときもあるけれど、もっと楽しそうな何かを見つけるとスイとそちらへ身を翻えされてしまう。そんな調子の良さも気に障《さわ》り、同じグループにいながらも私は好恵と二人きりになるのを極力避けていた。

そもそも私は、好恵が同じグループにいること自体を疑問視していたのだ。

私たちのグループは六人組で、陽気なおしゃべり好きが集まっていたけれど、同じおしゃべりでも好恵とはまるで話題がちがった。私たちが憧れのアイドルの話をしている傍《かたわ》らで、好恵は女癖の悪い男に泣かされたお姉さんの友達の話をしている。私たちが好きな食べものの話をしている最中に、好恵はどうすれば足がほっそり見えるか頭を悩ませている。一事が万事その調子で、どうしても話が嚙みあわなくなると、好恵はふらりと席を立って真希《まき》ちゃんたちのグループへ逃げこんだ。

真希ちゃんたちはクラス一華やかな四人組で、流行《はや》りのグッズをいち早く身につけるファッションリーダーでもあった。好恵と同様、異性への興味も隠そうとせず、キャアとかヤダとか黄色い声を上げるのもお手のもの。好恵は私たちといるより彼女たちといるほうが遥かに楽しそうだった。

ならグループを移ればいいのだが、しかし、そうもいかない事情がある。真希ちゃんたちのグループは四人。そこに好恵が加わると五人になる。二人組を作ったときに一人があぶれる奇数はタブーなのだ。必ず仲間外れが発生する。真希ちゃんたちにしても、気が合うとはいえ煙たいところもある好恵をリスクを冒《おか》してまで受け入れる気はなく、私たちも好恵が脱退することで奇数になってしまう事態は避けたかったし、好恵は好恵で時々退屈しながらも、かぶるキャラのいない私たちのグループにそれなりに安住していたように思える。

そうした微妙な均衡の下《もと》で私たちは一年を過ごし、クラスも担任も持ちあがりのまま、やがて四年生に進級した。

そしてまた微妙な均衡の下で一年後のクラス替えを待つものと思っていた。

あの日が来るまでは。

「今度の日曜日、あたしのお誕生会やるから、みんなで来てね」

と、好恵からの誘いを受けたのは、まだ四年生も板についていない六月のことだった。

誕生会は私たちのビッグイベントだ。グループの誰かが誕生日を迎えるたび、私たちはその誕生会に必ず出席し、自分のときにもグループ全員を招待する。それが仲間内の不文律となっていたから、好恵が誕生会を開くのもごく当然のことだった。

にもかかわらず、好恵からの招待を受けた私たち五人は、そろって「あれ」というふうに黙りこんでしまった。今年も好恵の誕生会はないのではないか、と思っていたからだ。

一年前の六月十日、真っ先に九歳を迎えた春子に次いで、当然、開かれるものと思っていた好恵の誕生会は、「お母さんが病気になったから」の一言でお流れとなった。私たちはしかたなしにプレゼントだけを渡してお茶を濁したけれど、ケーキもごちそうもプレゼントのお返しもない誕生日はひどく味気なかった。

「おばさんの病気、治ったんだね」

「好恵んちのおばさん、電話に出るとちょっと怖いけど、でも良かったよね、お誕生会できて」

「うん、うん。プレゼントあげるだけじゃ、いったい何のためのお誕生会かわかんないもんね」

「おいおい、何のためだよー」

今年も捨ててかかっていた誕生会の復活に、私たち五人は胸をときめかせた。お誕生会。その響きだけで無条件に高揚できた年頃だ。そしてその高揚はプレゼントの買い出しで絶頂を迎えることになる。

田畑が地面の大方を占め、空には農薬散布のヘリコプターが年中舞っていた私たちの町では、その手の買い物をするなら小学校の裏にある青葉堂か、やや離れたたんぽぽ文具店と相場が決まっていた。青葉堂は学用品が中心でサンリオなどのファンシー系に弱いため、私たち五人は土曜日の放課後、そろってたんぽぽ文具店まで足を延ばした。

パティ＆ジミーの新作や、匂いつきの消しゴムなどに心を奪われつつ、ああだこうだと言い合いながらプレゼントを厳選する。それは至福の一時《ひととき》だ。私はあのとき何を買ったのか記憶にないけれど、一人最後まで迷っていた須田《すだ》さんが絞りこみに失敗して千円近く奮発するはめになったのを憶えている。かわいいカバーに入ったミニ色鉛筆やメモ帳などの豪華セット。そこだけ鮮明によみがえるのは、自分も欲しかったからだろう。

色とりどりのリボンをかけた包みを抱え、私たちは満ち足りて家路についた。そして一夜明けた翌日、再びその包みを手に、初めて好恵の家を訪ねた。

町外れの坂上に建つその家は、原色に近い屋根のブルーと外壁のオフホワイトが一見洋風で、当時よく耳にした「モダン」という言葉がよく似合った。軒先には二台の自転車が整然と、ブロック塀に並行してきっちりと停められていて、庭のプランターの配列にも乱れがない。当然のように家の中もすっきり整頓《せいとん》されていたものの、しかし、そこは誕生会の会場にしてはあまりにもすっきりしすぎていた。

色鮮やかな飾りの施されたリビングを期待していた私たちが通されたのは、玄関わきの階段を上った好恵の部屋で、そこには楽しい会を思わせる装飾のひとつもなければ、ごちそうの匂いもなかったのだ。「あらあらみんな、今日はどうもありがとうねえ」と、甘い声で出迎えてくれるおばさんの姿もない。

どうもおかしい。ごちそうのために朝食を抜いて臨んだ私たちは、もじもじと顔を見合わせた。まさか。そんな。いや、バカな。困惑を隠せない私たちの中で、好恵だけがただ一人、普段以上にニコニコと嬉しそうにはしゃいでいた。

リーダー格の春子がしびれを切らしたように「プレゼント」と声を上げたのは、ただ好恵のおしゃべりをきくだけで一時間近くが経過した頃だ。

「そろそろプレゼント、渡そうよ」

この場に展開をもたらすことで、パーティーの始まりをうながすような言い方だった。

「うん、そうだね」

「プレゼント、プレゼント」

「お誕生会だもんね」

しかし、私たちが次々にプレゼントを渡し、そのたびに好恵が歓声を上げて、とうとう最後の包みが開かれても、ケーキとごちそうは依然として姿を現さなかった。

「好恵、ちょっと」

階段の下からおばさんの声がしたのは、すっかり無口になった私たちに、さすがの好恵も言葉少なになった二時すぎのこと。その少し前に玄関の戸が軋《きし》む音をきいたから、おばさんは私たちへのお返しでも買いに出ていたのかもしれない、とにわかに希望が射してきた。が、それもほんのつかの間にすぎなかった。

「ちょっと待ってて」と階段を下りていった好恵は、数分後、ごちそうのお皿一つ運んでくるでもなく、ただ赤い目をして戻ってきたのだ。

「好恵、どうした」

「なんかあったの」

私たちが何をきいても答えず、戸口に立ちつくしたまま泣きそうな顔をしている。代わりにその答えを私たちに告げたのは、少し遅れて階段を上ってきた好恵のおばさんだった。

「うちはね、誕生会はやらないことになってるの。お姉ちゃんも、弟も。だから、好恵が何言ったか知らないけど、今日は帰ってね」

帰ってね。

私たちの一人一人を見回しながら、確かにおばさんはそう言った。

窓からの明々とした陽を浴びていたみんなの顔が、瞬時に一層、赤く染まった。誕生会では歓迎されるのが当然の権利と考えていた私たちは、この唐突な拒絶の受けとめかたがわからずに静まり返った。くう、と誰かのお腹が鳴っても、いつものような忍び笑いはきこえず、その音はただ虚《むな》しく宙に浮いたきりだった。

やがておばさんが低いため息とともに階下へ消えると、好恵は泣き顔を隠すように襖《ふすま》をへだてたとなりの部屋へ閉じこもり、残された私たちも床に散ったリボンを踏みながらその部屋を出て、さっさと家に帰った。

当時の日本は今とはちがい、まだ貧富の差というものが子供の目にも露《あら》わに見え隠れしていた。それはクラスメイトたちの身なりにも、授業参観に訪れる母親たちのそれにも、時折持参するお弁当の中身にもうかがえた。けれど子供の世界には暗黙のルールがあり、肉体的な欠点がからかいの的になることはあっても、貧しさが槍玉《やりだま》にあがることはなかったように思う。

もしも好恵が貧しさの片鱗《へんりん》でも垣間《かいま》見せていたら、だから私たちは意外と簡単にこの一件を忘れていたかもしれない。

しかし、好恵は誰がどう見ても普通の家の子だった。どちらかといえば恵まれているほうで、『りぼん』と『なかよし』は毎月二冊とも買っていたし、洋服もお姉さんのおさがりよりは新品が多く、ウエストがゴムになっているスカートが流行ったときにもいち早く手に入れて、ゴムを引っ張る男子たちとじゃれあっていた。

その好恵の家に「誕生会だから」と招かれ、私たちはいそいそとプレゼントを持参した。しかしそこにはケーキもごちそうもお菓子もなく、もちろんプレゼントのお返しもなかった。しまいには「帰れ」とおばさんに追い払われて帰ってきた。

冗談じゃない！

と、私たちが激昂《げっこう》したのも無理はなかったと思う。子供心にもそれはあまりに道理の通らない話だったのだ。

「あたし、こんなクッジョク受けたのって、初めて。ごはんも食べないで帰ってきたなんて、ばっかみたい。お母さんに言ってやろ」

「あのクソババア、帰れ、だってさ。うちは誕生会やらないの、だって。だったら最初から呼ぶなよな」

「あーあ。プレゼント損した」

「お腹すいた」

「行くんじゃなかった」

空腹が私たちの怒りに拍車をかけた。中でも一番むきになっていたのは、普段はおとなしい須田さんで、彼女はうっすら涙さえ溜《た》めていた。

「あんなに買うんじゃなかった……。もうお小遣い、すかんぴんなのに」

子供の世界はある面、大人の世界よりも残酷で手厳しい。融通がきかないだけに他人を許せず、怒りも喜びもストレートなぶん、その矢はまっすぐ突き刺さる。

「だいたいさ、好恵は去年もプレゼントだけ取ってったんだよね。今年も初めからそのつもりだったんだよ。あの子、結構、がめついから」

「好恵、男子からもいっぱいプレゼントもらってたくせにね。もうすぐあたしの誕生日誕生日って言いまわってさ」

「男子もバカだよね。なんであんな女に引っかかるかな」

次第に方向を変えて過熱していく好恵の悪口。そこには日頃からの鬱屈《うっくつ》したジェラシーもひそんでいたはずだ。何かと目障りな好恵を攻撃するための糸口を、私たちはずっと探していたのかもしれない。

興奮冷めやらぬままみんなと別れた私は、家に帰るなり、おさまりのつかない怒りを母にぶちまけた。

「ねえねえ、きいてよ、好恵ってばさあ」

事の次第を知った母は難しい顔をして、「紀子の気持ちはわかるけど、好恵ちゃんの気持ちも考えてあげなさい。このことは誰にも言っちゃだめよ」と釘をさした。私は「わかった」とうなずき、食器棚にあった菓子パンを齧《かじ》りながら階上の姉の部屋を訪ねると、再び怒りをぶちまけた。

その頃はまだコードレスフォンなんてものはなく、電話とは一家に一台、家族の集う部屋の電話台に鎮座しているものだったから、こっそり友達に電話できないのが残念だったものの、姉の部屋で菓子パンを平らげた私は、裏の通りにクラスメイトの女子が住んでいることを思い出した。さほど仲は良くないが、まあこの際、誰でもいい。私はすぐさまその子の家を訪ね、心ゆくまで怒りをぶちまけた。

食べものの恨みとは本当に恐ろしい。

この日、そうして鬱憤《うっぷん》を晴らしていたのは私だけでなく、グループの五人が全員、友達に電話をしたり会いに行ったりと似たような行為に走っていたのだ。

結果、その翌日の四年三組に誕生会の一件を知らない者はいなかった。

ここに一つの誤算がある。

私たちは好恵の悪口を言いふらすことで、彼女の評判を貶《おとし》め、クラスのみんなを味方につけようともくろんでいた。そこには、願わくば好恵を仲間外れにしてやりたいという悪意もひそんでいただろう。しかし、みんなは私たちの話をきいても、当然ながら私たちほど腹を立てず、それどころかむしろ好恵に同情的だったのだ。誕生会でプレゼントをあげたのに何も食べさせてもらえず追い返された五人より、意地悪なお母さんに誕生会をしてもらえない一人のほうが、第三者の目には遥かに不憫《ふびん》に映るらしい。私たちがどんなに空腹だったかを熱弁しても、それは彼らの琴線《きんせん》をくすぐるに及ばず、彼らの哀れみは涙を浮かべて耐えていた好恵一人に集中した。

しかも、相手は普段、人一倍にぎやかな好恵である。いつもは元気な女の子の意外な側面。それは男子たちの好恵熱をより一層煽《あお》りたて、好恵を嫌っていた女子たちの態度をも軟化させた。

私たちの撒《ま》き散らした中傷は、帰するところ好恵から何も奪えず、かえって彼女に欠けていた何かを埋めて終わったのだ。

完敗だった。世論に敗れた私たちは、再び好恵を受け入れるしかなかった。クラス中を敵にまわさないためには、誕生会のことは水に流したふりをして、以前と変わらぬ関係を続けるほかはない。

私たちが涙をのんで何事もなかったようにふるまうと、数日間はおとなしくしていた好恵もそれに倣《なら》い、以前と変わらぬ彼女に戻った。そうして四年三組には以前の均衡が戻り、「好恵のお母さんは継母《ままはは》」だの「遊び好きで料理もしない鬼母」だのという学級伝説を残して、誕生会の一件は静かに忘れ去られようとしていた。

忘れなかったのは、ごちそうを食べそこなった上、クラスの男子から〈食い意地の張った五人〉のレッテルを貼《は》られた私たちだけである。上っ面《うわつら》の笑顔とは裏腹に、不満を抱えたまま和解を強いられた私たちの、胸の暗部に巣くう好恵への憎悪は日増しに募っていった。

私たちは好恵を許さなかった。

そこで、ひそやかな復讐《ふくしゅう》を企てた。

「好恵とは一応、仲良くする。でも、もう私たちのお誕生会には呼ばない。お誕生会の恨みはお誕生会で返すべきだし、それに、休日のパーティーまではクラスメイトの目も届かないでしょ」

最初、春子がこの復讐案を口にしたとき、私はなんという妙案だろうとすっかり感心した。誕生会の恨みを誕生会で返すというのは確かに道理にかなっているし、あれだけのことをされたのだからこれくらいはして当然と、私たちは全員一致で好恵を今後の誕生会から閉めだすことを決議した。

自分のうかつさに思い至ったのは、その決議から数日が流れてからのことだ。

私は肝心なことを忘れていた。

グループで二番目に十歳を迎えた好恵に続く、三番目の十歳。

好恵に最初に手を下すいやな役まわり……。

そう、私は三週間後に誕生日を控えていたのだ。

七月八日。七夕の翌日にあたる私の誕生日は日曜日だった。この年も織姫と彦星は逢《あ》いびきを果たせず、母は朝から窓辺に垂らしていた笹《ささ》を片付けると、代わりに折り紙や紙テープで居間を彩った。すでにごちそうの下準備は整えられ、冷蔵庫には子供心をそそる食材がぱんぱんに詰まっている。中でもひときわ目を引いたのは、『HAPPY BIRTHDAY NORIKO』とホワイトチョコで描かれた手作りのチョコレートケーキだ。食器棚にはお菓子の数々もスタンバイされていて、中には普段あまり食べさせてもらえない体に悪そうなものもある。これがいつもの誕生日なら、私は幸福度一二〇パーセントで宙に浮いていたことだろう。

しかし、私は疲れきっていた。

好恵を誕生会からしめだすことに決めたあの日から三週間、私は人の視線とはこんなにも怖いものかとつくづく思い知らされながら過ごした。いつ、好恵に誕生会のことをきかれるのか。いつ、好恵は自分が誕生会に招かれないことを悟るのか。私は絶えずびくびくと好恵の視線ばかりを気にしていたのだ。

好恵に「おはよう」と声をかけられるだけで、私は招待状の催促でもされたように顔を赤くした。会話の途中で沈黙が訪れるたび、「ところで、紀ちゃんのお誕生会だけど……」と切りだされるのではないかとどぎまぎした。毎日が緊張の連続。七月八日が近づくほどにその緊張は高まっていった。

これほど自分が小心者とは知らなかった。復讐がこれほどの苦痛を伴うものとも知らなかった。ついに誕生日を迎えたその日、だから私は誕生会やプレゼントの喜びより、ようやくその苦痛から解放される喜びのほうが大きかったのだ。

誕生会は滞《とどこお》りなく進んで、終わったと思う。もともと滞りなど起こりようもないパーティーだ。まずはケーキの蠟燭《ろうそく》に火を灯し、部屋を暗くして「ハッピー・バースデー・ツー・ユー」の合唱。それから十の炎を吹き消し、パチパチと拍手。再び部屋に明かりが灯り、みんなからプレゼントをもらって、ようやくごちそう。皿の空いた座卓にはお菓子が並び、そのあまりは夕方、母がちり紙にくるんでプレゼントのお返しとともに配る。お決まりの儀式。この段取りさえ押さえればまず失敗はない。なのに好恵はそれすらもしてもらえなかった。好恵の十歳の誕生日にはケーキもなかったのだ。

みんなの帰った後、急にがらんとなった部屋の中で、私は一気に脱力した。もらったプレゼントをしまうのも億劫《おっくう》で、その場に散らかしたまま二階へ上がると、部屋のベッドにどてっとうつぶした。甘いケーキの味はとうに忘れ、苦い後味ばかりが残っていた。

一生に一度しかない十歳の誕生日。

もう永遠に取り戻せない特別な一日。

好恵はあの日、どんな思いで十代への第一歩を踏みだしたんだろう。

そして今日はどこで何を思い、過ごしていたんだろう。

誕生会の終了と同時に、私はこの胸のもやもやから解放されるはずだった。なのにもやもやは増す一方で、瞼《まぶた》の裏に焼きついた好恵の視線はなおも私を苦しめる。ついてない、と心底思った。私の誕生会が七月八日でなかったら、秋や冬の終わりのほうだったら、私は例年通りに何も考えず楽しい一日を過ごしていたはずだ。一年で一番幸せな一日。なのに、好恵の次に生まれたばかりにすべてがだいなしになってしまった。ついてない。ついてない。ついてない。ついてない……。

「紀ちゃん」

と、そのとき、襖のむこうから姉の声がした。

入るよ、とノックもせずに現れた姉は、ベッドに伏せた私のもとへずかずかと歩みより、黄色いリボンのかかったたんぽぽ文具店の包みを差しだした。

「今、家の前であんたの友達みたいな子に会ってさ。これ、あんたに渡してって」

「え」

「直接渡せばって言ったら、自転車に乗っていっちゃった」

私は声もなくその包みを受けとった。姉が去ってからリボンをほどくと、包装紙にくるまれていたのは須田さん並みに豪華なサンリオ商品のセットだった。私の好きなリトルツインスターズのメモ帳もある。

「…………」

気がつくと、足が勝手に私を運んでいた。私は階段を駆け下りて玄関をくぐりぬけ、庭先の自転車に飛び乗った。

自転車は私を好恵の家へ運んだ。

風も、地面も、すべてが私をそこへ運んでいく気がした。

好恵の家はあいかわらず整然と、一寸の乱れもなしに佇《たたず》んでいた。軒先に縦列された二台の自転車の片方は、ついさっき好恵が停めたものにちがいなく、私はその几《き》帳面《ちょうめん》な停めかたに学校における彼女とのギャップを感じながら、自分の自転車を荒っぽく乗りすてた。それから一つ深呼吸をして玄関へむかった。

熟柿《じゅくし》のような電球に照らされたブザーに手を伸ばすのには、勇気がいった。私は好恵と会うのが気まずいだけでなく、あの日、あんなにもはっきりと私たちを拒んだおばさんに会うことも恐れていたからだ。

どうか鬼母が出ませんように。

どきどきしながらブザーを押すと、数秒後に「はい」と低い声がして、扉が開かれた。

「ひっ」

現れたのは鬼母だった。

「あ……ら」

エプロン姿のおばさんは、濡《ぬ》れた手をそのポケットのあたりでぬぐいながら、私に困惑の目をむけた。夕食時のせいか、扉のむこうからは炒めもののいい匂いが香ってくる。後ずさる私を前に、おばさんはその匂いをたどるようにふりかえり、好恵はどうのとぶつぶつ言いながら奥の部屋へと踵《きびす》を返した。私のことを憶えていたらしい。

数秒後、重たい足音と共に好恵が現れた。

「どうしたの」

開口一番に問われ、私はたじろいだ。好恵の声には「なんか用？」とでもいうような、白々とした響きがあったからだ。

「あの……その、プレゼントありがとう」

言葉につまった末、いきなり本題に入ると、

「え？　ああ、あれか」

自転車にはまだぬくもりが残っているはずなのに、好恵は遠い昔でもふりかえるようにわざわざ首を傾けた。リアクションの達人にしては鈍すぎる反応。私はますます勢いをそがれて動揺した。すまし顔をあさっての方向へむけている好恵を見ていると、自分がここに何を期待して来たのかわからなくなってくる。

苦しい沈黙の末、ひとまずここは撤退だ、と逃げることにした。じゃ、それだけ、と早口で言いながら背をむけ、ドアノブに手をかける。

「夕ごはん……」

と、そのとき、背中からおばさんの声がした。

「夕ごはん、まだなら食べていきなさい」

最初のうち、私はそれが自分にむけられた言葉とは思えなかった。あのおばさんがこんなことを言うわけがない。しかし、ふりむくとおばさんは怖いくらいにまっすぐに、確かに私を見つめていた。

「……はい」

どうしてか「いいえ」と言えなかった私は、この夜、おばさんや好恵の後について居間へ通され、眉毛のあまりないカーリーヘアのお姉さんや、「デブ」「クソ」「バカ」など憶えたての汚い言葉を連発する弟と夕食をともにするはめになった。おじさんの姿は見えず、「クソジジィは接待バカゴルフ」と弟がその理由を説明した。

アジフライ。ピーマンとウインナーの炒めもの。かぼちゃの煮つけ。ツナサラダ。味噌汁。

テーブルの上はそれなりににぎやかだったけれど、しかし静かな晩餐《ばんさん》だった。好恵は学校にいるときの十分の一もしゃべらず、お姉さんは終始ぶすっとしていて、弟一人が悪たれをつき続け、それをおばさんがたしなめる。好恵はなにも無限のエネルギーを持っているわけじゃなく、あのサービス精神は学校でのみ発揮されるのだと私は初めて知った。そういう私も緊張で口が強《こわ》ばり、「もっと食べて」とうながすおばさんにうなずき返すのがやっとだったけれど。

おばさんは数分おきに「もっと食べて」とくりかえした。ウインナーを独占しようとする弟の手をはたいて、小皿に私のぶんを確保してくれもした。そのくせ、おかずの量を気にしているのか自分はほとんど箸《はし》を伸ばそうとしない。

もしかして――。あいかわらず気難しげな顔をして、それでも必死に私を気遣うおばさん。そしてその様子をじっと見据える好恵の横顔をながめているうちに、私はなぜ今、自分がここにいるのかわかったような気がした。

好恵にとって一生に一度の十歳の誕生日。あの日、私たちはここへ来なければよかったと後悔したけれど、好恵も好恵で私たちを呼ばなければよかったと後悔し、おばさんもまた何らかの悔いをその胸に抱えてきたのかもしれない。

そう思った瞬間、あまり馬の合わない友人宅での居心地の悪い夕食会は、何か大事な意味を宿した苦行へと変わった。取り返しのつかない何かを取り返そうとするように「もっと食べて」を連発するおばさんは、確かに私のどこかを満たし、そしてきっと、好恵のどこかを癒《いや》したのだ。

「ごちそうさまでした。おいしかったです」

夜も更けて皿も空になると、私は疲れた様子のおばさんに礼を言い、「もう来んなよ、クソバカ女」と憎まれ口を叩《たた》く弟を柱の陰でこづいてから、好恵の家を後にした。

いいと言うのに、好恵は途中まで送るとついてきた。

もう一日早ければ織姫と彦星も再会できたにちがいない空の下、街灯に照らしだされた藪蚊《やぶか》の群れのむこうに無限の瞬《また》きを望みながら、私たちは無言で家《うち》への道を歩いた。私は自転車を押しながら。好恵はその後ろからてくてくと。途中、私が「もういいよ」と何度も好恵をふりかえったのは、黙りこんだきりの彼女をおもんぱかってのことではなく、自転車に乗って帰ったほうがよほど速いからなのだが、好恵はそのたびに「もうちょっと」と見送りの距離を引き延ばした。

何か言いたげで、なのに言えずにいた好恵がようやくその一言を口にしたのは、そんなやりとりが幾度《いくど》となく続いた後、「ほんとにもういいから」と私が自転車のサドルに跨《また》ろうとした瞬間だ。

「……ってくれる？」

好恵は私を遮るようにして自転車のハンドルを握りしめ、かすれ声でささやいた。

「え」

「うちのお母さんの料理、おいしかったって、明日、学校でみんなに言ってくれる？」

私たちを包んでいたなまぬるい夜気が、ふいにぴしゃりと肌を打った気がした。私はとっさに目を伏せ、からから回る自転車のペダルを見下ろした。そして、その回転が止まってからようやく顔を持ちあげた。

好恵は唇を踏んばって私の答えを待っていた。

「うん。言うよ」

それだけ返すのが精一杯だった。

「おばさんの料理、おいしかったって、明日、みんなに言う」

今にも泣きそうなくせに意地でも泣かない好恵の顔が、なんともいえない安堵《あんど》の表情に変わった。好恵は小さくうなずき、ふうっと息を吐いて、私の自転車から手を放した。それからすばやく回れ右をして、もう用は済んだというふうにてのひらをぶらぶらやりながら、廊下で男子を追いまわすときのような軽快な駆け足で、深い夜のむこうへと遠ざかっていった。

家に帰ると、ついていないことにその日の夕食は大好物のカレーライスだった。

「まったく、何も言わずに家を出て、こんな時間に帰ってきて、ごはんも食べられないってどういうこと？　お腹いっぱいって、なによそれ。だいたいあなた、お友達にもらったプレゼントだって散らかしっぱなしだったじゃない。ちゃんとお片付けができないなら、もう誕生会なんてやらなくていいわ。お母さん、もうなんにもしてあげないからね」

母はたいそうご立腹で、おかげで私はこの夜、父の買って帰ったデザートのババロアも食べさせてもらえなかった。普段なら泣いて抵抗するところだが、この日は黙って引きさがり、二階の部屋に閉じこもった。

めったに使わない勉強机に座り、頬杖《ほおづえ》をついて、考えた。

十分。二十分。三十分――。

時が、残りわずかとなった私の誕生日をじりじりとすり減らしていく。

一時間近くが流れた頃、ふいに姉が襖から顔を出し、「ねえねえ、紀ちゃん」と鼻にかかった声を上げた。

「あのね、さっきのババロア、あれ、最高だったよ。ふんわりしてて、みかんのつぶつぶも入ってて……。こんなおいしいの初めてって、お母さんも言ってた。でも、紀ちゃんは永遠に食べられないんだね」

「そうだね」

「一生、死ぬまで食べられないんだね」

「うん。そうだね」

姉に何を言われても、私は上の空で気のない返事をくりかえした。最初は余計にむきになった姉も、次第に調子を狂わせ、しまいには覇気のないつぶやきを残して去っていった。

「ババロア、まだ冷蔵庫に残ってるから、明日の朝にでも食べな」

本当のところ、私にはもうババロアなんてどうでもよかった。

永遠も一生もどうでもよかった。

私はただ明日、好恵のおばさんの料理をどんな言葉で誉《ほ》め称《たた》え、クラスの津々浦々に言い広めようかと、それだけを息をひそめて考え続けていた。

第二章　黒い魔法とコッペパン

小学五年生に進級した最大のメリットは、大人の都合で中学年とも高学年とも呼ばれる宙ぶらりんの四年生から解放されて、どっしりと高学年の座に腰を据えられることだった。

小学校は瞭然《りょうぜん》たるピラミッド社会だ。たとえ中学校でまたふりだしに戻るとしても、その底辺から頂点へと昇りつめていく感じは悪いものじゃない。小学六年生の白い名札。入学当初はあれがなんと眩《まぶ》しく、畏《おそ》れ多く見えたことだろう。いや、青い名札の五年生だって、同じ小学生とは思えないほど大人びて映ったはずだ。今の私も下級生の目にはそう映るのだろうか。だとしたら、私は彼らに恥じないように、手本となるべき上級生にならなければいけない。一年後、栄光の最上級生としてトップを極めるためにも、今のうちから立派なふるまいを身につけておく必要がある。

というような刷りこみを、私は知らず知らずのうちに周囲の大人たちからされていたのだろう。

「もうすぐ高学年なんだから、今までと同じ気分じゃ困るわよ」

「高学年がそれじゃ、低学年に笑われるぞ」

四年生も終わりに近づくにつれ、親や教師たちは何かにつけて高学年を持ちだすようになり、乗せられやすい私はすっかり上級生気分に仕立てあげられてしまった。

私だけではない。新学期の学校に集った生徒たちは皆、春休みの前よりも心持ち背中をぴんとして、きらりとした目で空を仰いだりしていたはずだ。

四月の朝の校庭。

春風にさざめく木立の青。

真新しい名札を胸に始業式へ臨む生徒たち。

あの頃、私たちは知らなかった。私たちがどんなにがんばっても、いかに立派な高学年になっても、決してピラミッドの頂点には立てないことを。その頂《いただき》に高々と君臨できるのは、大人びた六年生ではなく、つねに本物の大人たちであることを――。

小学生の頃、学校の先生は、神様だった。


「のりまき」

前年の暮れから伸ばしはじめて、ようやく肩についた髪を後ろからふいにつかまれ、私は「あた」とのけぞるようにふりむいた。

始業式終了後のグラウンド。式のあいだはじっとしていた何百もの頭が、まるでトランプのシャッフルのように入り組んでうごめきだし、巻きあがる金色の砂埃《すなぼこり》が視界を塞《ふさ》いでいた。

「おれさ、決めたんだけどさ……」

ラッキー、あたし、小川先生だよ。いいなー、あたしは原先生。おれなんか元四組のオラオラウータンだぜ。うげげげげ。昇降口へと続く生徒たちの波は、つい先程、式の終わりに発表された新担任の話で大きくうねっている。

「決めたんだけど、おれ、冬眠に入るよ」

いきなりズレたことを言われて、私はむむっと眉をひそめた。

「なに言ってんの、トリ」

「この一年はあきらめた。終わるまで冬眠する」

「冬眠って……熊や亀みたいに？」

「亀って冬眠すんの？」

「するよ。でもそれよりトリさっき、あたしのことまたのりまきって呼んだでしょ。あたしの名前は紀子だし、高学年になったらもうのりまきって呼ばないって約束したんだからね、トリも」

私が話題を逸《そ》らすと、トリはちょっと不服そうな、悲しげな目をしてみせたけど、「ま、いっか」とそのままわきをすりぬけ、重たい足取りで新しい教室をめざしていった。

私は小首をかしげつつ、とりあえず彼のあとをつけた。というのも、私もその朝、「岸本紀子、五年一組」と、元四年三組の担任からトリと同じ新クラスを申し渡されていたからだ。「また一緒だな」「うん、記録更新だね」と笑いあったばかりのトリが、その数時間後、なぜ冬眠に入る気になどなったのか、私にはとんと計り知れない話なのだった。

もともとトリには計り知れないところが多かった。

鳥井《とりい》真雪《まさゆき》。通称、トリ。時折貴公子のような服で学校に現れみんなを驚かせる彼は、幼稚園から私とずっとクラスが同じで、昔からどこかほかの子とちがう、妙に哲学っぽい男の子だった。といっても、彼はべつに小難しいことを言ったり、人生の深淵《しんえん》を垣間《かいま》見せたりするわけじゃない。トリはただ羽を休める親鳥みたいな目で私たちを見つめて、誰よりも深々と相槌《あいづち》を打ち、話がとぎれると「そういうことって、あるよね」などと小さくつぶやくだけだった。そのつぶやきに私たちが何ともいえない奥深さを感じてしまったのは、声楽家を父に持つ彼の声質のせいなのか、間の取り方の問題か、あるいは彼が本当に奥深いことを考えていたからなのか、私にはいまだにわからない。北欧生まれ、という経歴が微妙に響いていた可能性もある。ともかく彼がふしぎな力を持っていたのは確かで、誰かに「そうだね」とうなずいてもらうなら、私たちはみんなトリにうなずいてほしかった。迷ったときにはトリを見て、その目が微笑んでいると安心した。

そのトリが、なぜだか突然、冬眠に入ると言う。

トリを追って新しい教室へと近づいていくうちに、私はだんだん不安になってきた。胸のざわめきを抑えるように息を整え、四階の北端にある五年一組の扉を開ける。教室にはすでにぽつぽつとグループが形成されていて、廊下側の席で元三組の面々と集まっていた春子が「紀ちゃん、ここ」と右手をふりあげた。

私はにっこり右手をふりかえし、それから目の隅ですばやく教室を確認した。学年一の暴れん坊はここにはいない。一年生のとき、いつも机から悪臭を漂わせていた男子も。三年のときのチクリ魔も。では、この足下がふらつくような不安はどこからくるのだろう。

「お静かに」

そのとき、教室の前の扉が音を立て、恰幅《かっぷく》のいい女教師が姿を現した。

「なんだかバラバラですね。まずはしっかり席につきませんとね。じきに席順を決めますが、ひとまず出席番号順に着席しましょうか」

初の対面に力んだ様子もなく、ベテラン然と構えて指示を出す彼女は、このとき、すでに五十を超えていただろうか。大仏パーマの髪には白いものが混じり、しもぶくれの頰《ほお》は当時人気のチャウチャウ犬のように幾重《いくえ》にもたるんでいた。

私たちが着席しなおすと、彼女は黒板に自分の名前を書きつけた。

深沢《ふかざわ》サヨ子
「あなたがた皆さんね、こんなおばさんが担任の先生でがっかりしたでしょうけどね」と、皮肉とも余裕ともつかない薄笑いを浮かべて言う。「ちゃんとね、きこえますからね、皆さんのため息が。若くてきれいな先生じゃなくて残念でしたわね。でも私はね、しっかり教えますよ。私の受け持った生徒は、必ず成績が上がるんです。必ず。それはお約束できますから」

新担任の話をきくあいだ、教室中がひっそりと静まり返っていたのは、この新しい環境に誰もがまだ不慣れなせいだけではなかったと思う。穏和な口調を保ちながらも、彼女は全身で私たちを威圧していた。縁なし眼鏡の奥の険しい瞳は、大声を出さずとも人を黙らせる術《すべ》を知っていた。

「ですからあなたがたもね、しっかり一年間、がんばってくださいね。五年一組の一は、一番の一。そう言われるようにしっかりやってください。わからないことは何でも私に相談するんですよ。私は校長先生よりも前からこの学校にいるんですからね。ええ、もちろん教頭先生よりも前からです」

とぎれることのない声に耳を傾けながら、私はぴったりの宿を探しあてたヤドカリのように、さっきまでの漠然とした不安が収まるべきところへ行きついたのを感じていた。

この人だ。

と、本当はひとめ見た瞬間からわかっていたのだ。

その日はそれから一学期の係を決めて解散となった。元三組のみんなはトリが必ずや学級委員長に、少なくとも書記くらいにはなると信じていたのに、トリは自ら最も地味な黒板消し係に志願してどよめきを起こした。私はトリが木の実を集めるリスのように冬眠の支度をしているのだと思った。

「トリ、あの先生のこと、知ってるの？」

帰りの挨拶の後、そそくさと姿をくらませようとする彼を捕まえて尋ねると、トリは「知ってるも何も」と、その端正な顔を強《こわ》ばらせた。

「あいつ、この前までうちの姉さんの担任だったから。五年と六年の二年間。でもまあ、六年のときはほとんど学校に行かなかったけどね、姉さんは」

「なんで？」

「そのうちわかるよ」

「………」

「おれ、あいつが担任になったら冬眠するって決めてたんだ」

美人女優のように円《まろ》やかなトリの眉のラインが神経質に歪《ゆが》んだ。

小学二年生のとき、キングコングみたいな上級生に決闘状を突きつけられても逃げなかったトリが、端《はな》から闘いを放棄するなんて……。

敵はそうとう手強いのだろう、と私は改めてゾッとした。

実際、敵は手強かったのだ。

数日間の半日授業が終わり、五年生の勉強が本格的に始まったのと同時に、深沢サヨ子はいかんなくその本領を発揮しはじめた。

教師としては熱心な人であったのだろう。彼女はまずクラスの全員に家庭学習帳なるノートを作らせ、毎日、漢字の書きとりや計算問題、教科書の書きうつしなどでその何枚を埋めることができるかを競わせた。その結果は毎週、グラフとして教室に貼りだされ、順位の低い数名には絶対学習（宿題）なる罰則が科せられる。代わりに順位の高い数名は放課後の掃除を免除され、監視係という名の下《もと》に、クラスメイトたちの掃除ぶりを見張るだけで良いという特権を手に入れた。

テストの答案は当然のごとく成績順に返却された。深沢サヨ子は点の低い答案など手渡す価値もないというふうに、てのひらを差しだす生徒の目前でぱらりと床に落とした。テストの平均点がほかのクラスのそれより少しでも下回ると、その原因となった数人を立たせて吊《つる》しあげた。

「あなたがたのおかげで、五年一組の全員が迷惑を受けています。皆さんの努力をあなたがたがだいなしにしているのです」

教育熱心な女教師は、落ちこぼれには容赦をしない一方、成績の良い教え子には賛美を惜しまなかった。彼女に持ちあげられ、みるみる鼻高々になっていった生徒は少なくない。もともと頭の良かった春子もその一人で、彼女は一学期の途中で深沢サヨ子の寵愛《ちょうあい》グループへと吸収され、急速に私から遠ざかった。

深沢サヨ子の寵愛グループについて思い出すと、いまだにそのときの見捨てられた気分がよみがえるのと同時に、私の鼻先をコッペパンの焦げた匂いがかすめる。

深沢サヨ子は夏でも教室に小型のストーブを置き、給食にコッペパンが出ると必ずその上で焼いていた。そして自分のものが焼きあがると、おもむろに教室を見回し、「〇〇さん、パンを持っていらっしゃい」と、寵愛グループの一人を手招いてみせる。選ばれた一人は羨望《せんぼう》のまなざしを一身に浴びて、何とも誇らしげに立ちあがるのだ。

ぱさぱさの味気ない塊が、ストーブの上でこんがりと香ばしく色づいていく。熱々のそれを嚙みしめたときのシャク、とした食感。口に広がる素朴な甘み。私は家のストーブで何度も試してみたけれど、どうにもそれは深沢サヨ子のストーブほどいい匂いを発しないのだった。

成績至上主義。

えこひいき。

しかし、これくらいならまだどこの学校にも一人や二人はいる「やりすぎな人」といったところかもしれない。

深沢サヨ子の真の恐怖は、これだけ成績に拘泥《こうでい》していながら、時に授業を中断してまで語られるぶきみな話の数々にあった。今となっては到底実話とは思えないほど、彼女の周りでは難病奇病が続出し、毎月のようにおどろおどろしい手術がくりひろげられていたのである。

「私の知人にひどい歯痛を抱えた女性がいましてね、あまりにもひどいので先日、ついに歯科医へ行ったんです。すると大変なことに、彼女の虫歯は上顎《うわあご》の骨を腐らせ、脳にまで達しようとしていたんですね。彼女は結局、上顎の骨を削る外科手術を受けました」

「先月、私の友人が事故で鼻の骨を折ったのですが、皆さんは鼻の手術をどう行うか知っていますか。皮を剝《は》ぐんですよ。耳のつけねからこう、メスで一直線に切りましてね、顔の皮をぺろりとめくりあげるんです。そう、パックを剝がすようにですね」

「皆さんの中に、色のついた夢を見る人はいませんか。それは、精神病の初期症状です。友人の精神科医が言っていましたからね」

「このところ私の娘が偏頭痛に悩んでおりましてね、後頭部の、こう、おかしなところに激痛が走るんですね。それで脳外科に参りましたら、やはり脳に傷があったんですね。その傷は小さい頃、階段から落ちてひどく頭を打ちつけたときのものにちがいありませんが、そのときは何ともなくても、出るんですね、二十年後に。脳というのはそれくらい怖いものなのです。皆さんは脳という爆弾を抱えて生きているんですね。ところで脳の手術というのは、頭を電動のこぎりで真っ二つに割ってどうのこうの……」

教卓のむこうで奇々怪々な話が始まるたびに、私はてのひらをきゅっと握りしめ、真夜中みたいな闇《やみ》に連れ去られそうな恐怖と闘った。中でも最も恐ろしかったのは、彼女が独自の解釈をしていた癌《がん》の話だった。

「癌というのは皆さん、あれは心から来る病ですからね。日頃からの心映《こころば》えが悪く、人様に迷惑ばかりかけていると、じきに癌細胞が発生するんです。私の周りにはそうして亡くなった方が大勢いますからね」

彼女はこの話を、成績の落ちた子や宿題を忘れた子を叱《しか》った後に好んでよくきかせた。それは反則だろう、と今は思うが、なんせその頃、規則を作っていたのは指導者である彼女自身である。当時は体罰ですら今ほど問題視されておらず、生徒の鼓膜を破ってようやく物言いがつくといった具合だったから、痣《あざ》を残さない彼女のひそやかな暴政をとがめる者はいなかった。何はともあれ、彼女は学校一のベテランだし、生徒の成績アップという実績も残しているのだ。

そんな女教師の統《す》べる五年一組が、みるみる陰気な、感じの悪いクラスになっていったのは言うまでもない。

私たちは毎日、学校から帰るとせっせと家庭学習帳を埋め、絶対学習から逃れるために奮闘した。そうして憧れの監視係の座につくと、その特権をふりかざしてクラスメイトたちにいばりちらし、あんのじょう顰蹙《ひんしゅく》を買って、翌週の仕返し怖さに再びせっせとノートの枡目《ますめ》を埋めた。

成績の悪い生徒は怠け者だ、みんなに迷惑をかけているのだ、という風潮も生じつつあった。五年一組の一は、一番の一。ほかのクラスに負けるわけにはいかないと、誰もが根拠のない闘志を危険に燃やしていた。

女教師の口から語られる病気の数々が及ぼした影響も見逃すわけにいかない。その程度には個人差があったろうが、その気になりやすい私は柱に頭をぶつけただけで

「脳が崩れる！」と震えあがるほどになっていた。指先をすりむけば「破傷風で腐る！」と、目にゴミが入れば「角膜が傷ついた、手術で眼球に注射をされる！」と、友達とけんかをすれば「心映えの悪い私は癌になる！」と、いちいちうろたえて悲嘆に暮れる、疲れる日々——。

普段はてんでまとまりのない五年一組が、めずらしく朝、教室に大きな輪を描いていたのは、夏休みに入る何日前のことだったろうか。

「どうしたの」

ざわめく人垣をくぐり、その輪の中心へ足を進めると、中央の机上に広げられたタロットカード風の絵札が目についた。

当時流行《はや》っていた占い専門誌のオリジナルカード。トランプよりもひとまわり大きなその絵札には、天使や死神、妖精など、様々な架空の存在が緻密《ちみつ》なタッチで描かれている。中でもひときわ目を引いたのは、一枚だけ、ほかのカードから隔離されたように孤立している黒魔女の顔だ。

「ひゃっ」

ひとめ見た瞬間、私が思わず声を上げたのは、その黒魔女の老獪《ろうかい》そうな瞳が、大きな鷲鼻《わしばな》が、たるんだ頰肉が、すべてがあまりにも深沢サヨ子と似通っていたからだ。

「どう思う？」

面食らっていた私に親友のクー子がささやいた。

「どうって……生き写し」

「でしょ。他人じゃないよ、これ」

「じゃあ、あの先生、やっぱり……」

「ばか。魔女なんているわけねえだろ」

冷静な男子のつっこみも、憑《つ》かれたような目で黒魔女に見入る私たちの耳には届かなかった。

「魔女には二通りあって、良い魔女は白魔女、悪い魔女は黒魔女なんだって。黒魔女はものすごい邪《じゃ》のパワーを持っていて、人を病気にしたり呪い殺したりできるんだよ」

カードの持主らしい女子の声が、しんとなった教室に妖《あや》しく冴《さ》え渡った。窓からの風に天使や妖精のカードが震えても、黒魔女だけはふてぶてしげに肩を怒らせ、いつまでも机の真ん中でふんぞりかえっていた。

「ねえねえ、トリ」

と、私が冬眠中のトリにしびれを切らして揺さぶりをかけたのは、夏休みの明けて間のない頃だった。授業の始まる前、いつものようにトリが満員電車に乗りこむお父さんみたいな顔で席についたところを捕まえた。

「トリはいつまで冬眠してるの？」

「だから、五年生が終わるまで。もし来年もあいつが担任なら、六年生が終わるまで」

「あたし、昔うちで亀を飼ってたんだけどね、亀って冬眠中、あんまりぐっすり眠りすぎると、起きるのを忘れて、寝たまま死んじゃうんだよ」

「だから？」

「え。だからその、トリもそろそろ冬眠やめて、うちのクラスを何とか、こう……」

何とかしなければもうどうにもならないくらい、五年一組は追いつめられていた。例のカードの一件からというもの、私たちは深沢サヨ子を陰で黒魔女と呼び、それまで以上に恐れるようになっていたのだ。なんせ相手は黒い魔女。周囲にやたらと病人が多いのも、彼女自身が悪い魔法をかけているせいだと考えれば合点《がてん》がいく。

「ヨッチなんか、この頃、学校休みがちなの、黒魔女が怖いからなんだって。うちのクラスだけ口裂け女が流行らなかったのも、口裂け女より黒魔女のほうが怖いからだよ。それに家庭学習だって、こんなに無理やりやってもためにならないと思うんだけどな。みんな絶対学習がいやだから張りあってるだけで、ノートの中身なんかどうでもいいって感じだし」

　私がこぼすと、トリは「それならさ」と事もなげに言った。

「それなら最初から張りあわなきゃいいんだよ。家庭学習なんて、全員が毎日一ページずつやってれば、トップもビリもないわけだし、グラフもみんな一直線で、監視係も絶対学習も生まれないんだから」

「あ……そっか。さすがトリ！　それ、クラスのみんなにも言ってあげてよ」

「のりまきが言えばいいよ」

「あたしじゃだめなの、トリでなきゃ。トリが何か言うとクラスの全員に伝わるけど、あたしだと三人くらいで止まっちゃうんだよ」

「でもおれは冬眠中だし、深沢には関わるなって姉さんにも言われてるし……」

　お姉さんの話になるとトリはとたんに言葉を濁した。

「お姉さん、黒魔女に何をされたの？」

「それはのりまきには関係ないことだから。でもとにかく姉さんは深沢と闘って、それで敗れたんだよ」

　トリは最後まで沈黙を貫いたものの、私はその後、うちのクラスで起こった事件から、黒魔女がお姉さんにどんな仕打ちをしたのかを察することができた。恐らくトリのお姉さんは、何かささいなきっかけによって、不運にも黒魔女の生贄《いけにえ》に選ばれてしまったのだろう。

黒魔女は生贄を必要とする。
汚れなき血が流されることを。
その年、私たち五年一組の生贄に選ばれたのは、それまで黒魔女の寵愛を受けていたはずの意外な小羊だった。

深沢サヨ子の寵愛グループについてはすでに触れているが、成績優秀な彼らにしても、つねに安全なところでコッペパンを囓《かじ》っていられたわけではなかった。上位の成績を維持するのは楽ではないし、少しでも気をゆるめればたちまち黒魔女に背中をむけられる。最初は得意満面だった彼らも次第に肌の艶《つや》を失い、二学期になると学校を休みがちの子も現れた。

問題のその日、給食当番の西さんが教室でシチューの大鍋をひっくり返してしまったのも成績ダウンのせいだ、とまでは言わない。けれど寵愛グループから外された彼女が、このところずっと生気を失っていたのも事実だった。

給食当番がこうした失敗をした場合、通常は担任が余分をもらいに給食室へ走ったり、ほかのクラスからおすそわけを集めてまわったりする。しかし黒魔女はそのどちらもしようとせず、ただ必死で床を拭《ふ》く西さんに冷たい一瞥《いちべつ》を投げただけだった。

「あなたのおかげで、今日はクラスの全員がシチューを食べられません。私も食べられません。あなたは給食のあいだ中、後ろに立って自分のしたことを反省してなさい」

かつてはストーブの恩恵を受けたこともある西さんは、一瞬、その言葉が本当に自分へむけられたものなのか疑うような目をして、それから苦しくそれを認め、ううっと泣き崩れた。私たちはたまらずに目を伏せ、教室中が重たく沈黙した。先生、と一人の女子がすっと右手を持ちあげたのは、そのときだ。

「西さんは、もう、すごく反省してると思います。許してあげてください」

その声の主をふりかえり、私は瞳を瞬《しばた》いた。

大崎《おおさき》春子。今では遠い寵愛グループにいるかつての仲間だった。

黒魔女もまた教卓のむこうで瞳を瞬いていた。これまで見せたことのない当惑の表情。微《かす》かに鼻孔がふくらみ、口角もぴくぴく痙攣《けいれん》しだして初めて、私は彼女が猛烈に腹を立てていることに気がついた。

「大崎さん」と、黒魔女は冷然と春子に告げた。「あなたはとてもお友達思いなのですね。そんなにお友達思いなら、西さんに代わって、あなたが立っていておあげなさい」

黒魔女の壮絶な春子いびりが始まったのは、それからだ。

彼女は自分に意見した生徒を断じて許しはしなかった。許さない、という表明のために春子を生贄にしているようにも思えるほどだった。授業中、春子が少し脇見《わきみ》をしただけでもきつく叱ったり、六年生でも解けそうにない難問を突きつけたり。家庭学習帳も「ノートの余白が多すぎる」などと難癖をつけて突き返し、テストの答案すら「字が汚い」と大きく減点する始末。そうして春子を叱った後には、必ず「心映えの悪い人間は癌になりますからね」とほくそ笑むように言い添えるのだ。

春子への攻撃は教室の外にまで及んだ。秋の運動会を控えていたその頃、私たちは体育の授業のたびに合同ダンスの練習をさせられていたのだが、黒魔女は春子の動きが悪い、リズムが合ってない、気持ちがこもっていない、などとここでもダメ出しを連発した。

「皆さん、残念ながら今日も大崎さんのおかげで練習になりませんでした。よって、放課後も全員で練習を行います」

帰りの会で黒魔女が宣言するたびに、教室には「はーあ」と長雨のようなため息がたちこめた。内心ではみんな春子を気の毒がっていても、黒魔女の前でそれを顔に出すのは危険だし、連日の居残りにうんざりしていたのも事実だった。

春子はよく凌《しの》いでいたと思う。もともと勝気なしっかり者だ。彼女にとっては黒魔女の攻撃よりもクラスメイトたちの同情のほうが耐えがたかったのか、それまで自分を持ちあげていた教師にポイと地べたへ突き落とされても、泣きごと一つ言わずに平気な顔を貫いた。が、それでもやはり心のダメージは確実に彼女を蝕《むしば》んでいたのだろう。春子は変にやつれ、貧血です、と頼りない足どりで保健室へむかう回数が増えた。

春子ハ癌ダ。

黒魔女ニ呪ワレタ。

春子ハ黒魔女ニ殺サレル。

クラスメイトたちのひそひそ声。怯《おび》えた瞳。私は次第に学校へ行くのが苦痛になっていった。いくら今は遠くても、以前はいつも一緒にいた春子だ。もとの仲間がここまで追いつめられているのに、私は何もできずにいる……。

ダッテ黒魔女ガ怖イカラ。

冷たい秋風が夏の名残をさらって吹きぬける十月の夕刻、私はこれで最後だ、と決意してトリのもとへ赴《おもむ》いた。今回は自転車で直接、トリの家まで押しかけた。

「おれ、これからはのりまきのこと、納豆巻きって呼ぶよ」

ねばねば粘っこいから、と顔を見るなりぼやきつつ、トリは私を庭のベンチに迎え入れてくれた。

「ねえトリ、二年生のときあたしたち、班のみんなと好きな子の教えっこ、したよね。トリ、あのとき春子のことが好きだって言ったの、憶えてる?」

貴婦人みたいな服を着たおばさんの運んでくれたココアをすすること数分。私が遠回しに話を切りだすと、トリは一瞬ぴくりとしたけれど、すぐに落ちつきを取りもどした。

「じゃあ、のりまきはおれがなんで大崎を好きだったか、憶えてる？」

私はやむを得ずうなずいた。

「ポニーテールがかわいいから」

「今の大崎の髪型は？」

「おかっぱ。でも、だからって……」

「あのさ、のりまき。何回も言うけど、おれは今、冬眠中で何もやる気がしないんだよ。いくら二年生の頃、大崎が好きだったからって、今、あいつのために立ちあがるとか、そういう熱血は期待しないでよ」

「じゃあ、トリはこのままでいいの？　みんなが黒魔女にびくびくして、家庭学習ばっかりやって、病気怖がって……」

めずらしくトリが声を荒らげたから、私もつられて熱くなった。

「あたし、思ったんだ。っていうより、思い出したんだ。四年生の頃、あたしはべつに立派な高学年になりたいなんて思ってなかった、って。ただ、五年生も楽しければいいなって思ってたんだよね。トリや、仲良しのみんなと同じクラスになって、また楽しくやりたいなって思ってた。でもさ、先生やお母さんたちに高学年、高学年って言われてるうちに、なんか魔法にかかったみたいにその気になってきて、自分がほんとにしたかったこと、忘れちゃって……。今もね、あたしたちみんな、黒魔女の魔法にかかってる気がするの。黒魔女の言葉にのせられて、操《あやつ》られて、みんなが変になっちゃってる気がするの」

私が口をつぐむと、トリは手にしていたマグカップをベンチにおろし、足下の芝でものぞきこむように深々と頭を垂らした。

「のりまきは、おれが魔法を解く呪文《じゅもん》でも知ってると思ってるの？」

「うん」

「うんって……」

「トリは誰より黒魔女を知ってるはずだから。それに、トリの声にも魔法があるから」

「魔法？」

「白い魔法だよ」

トリがゆっくり頭を持ちあげた。ちらりと私をふりむき、目が合うと頬を染めて再び足下の芝を見る。私はトリのこうしたしぐさに独特の品を感じていた。

「のりまきには悪いけど……」

しかし、彼はあくまでもそのかたくなな決意を曲げようとはしなかった。

「おれは今、どうしても冬眠してたいんだ。深沢の……あんな奴のために変なエネルギーを使いたくないんだ。だったらそのぶん眠らせておいて、将来、もっといいことのために使いたいんだよ」

照りつける夕映えが庭一面を呑《の》みこみ、片隅の野菊や都草《みやこぐさ》をも紅《あか》く燃やしていた。トリの言うことはわからないでもないけれど、でも何かちがう、と私は思った。今のこの、十一歳のエネルギーを将来のために温存しておくことなんてできはしない。十一歳のエネルギーは、十一歳のうちに使いきるからこそ価値を持って輝くのだ。

ということを今なら切々と訴えるのだが、当時の私には胸にこみあげるその思いを言葉に置きかえる術がなく、嚙みしめた唇の合間からこぼれおちたのはたったの一言だけだった。

「けちくさ」

「え」

「けちくさいよ、トリ。なんかそれ、将来のためとか……けちくさいよ！」

情けない涙声で言い捨てるなり、私は荒くベンチを離れ、鳥井邸を後にした。

トリの弱虫。意気地なし。なんだかんだ言っても、トリは結局、黒魔女が怖いだけなんだ……。

帰りの道中、私は自転車の上でずるずると鼻をすすり続けたけれど、右目の涙がトリへの怒りなら、左目のそれは自分自身への怒りだっただろう。黒魔女が嫌いで、五年一組のことも春子のことも何とかしたくて、でもやっぱり怖くて何もできず、その役割をトリに押しつけてばかりいる自分――。

私はその夜、蕎麦殻《そばがら》の枕をばしばし壁へ打ちつけ、あげくに母に怒られて号泣《ごうきゅう》しながら眠った。

ダンスの居残り練習中、春子が貧血で倒れたのはその翌日のことだ。

春子は四つ折りにしたなわとびの先を右手に握り、軽く膝《ひざ》を屈伸させながら頭上に大きな∞を描いた。てらりと赤い縄は蜂《はち》のダンスのように何度も宙を戯《たわむ》れ、それからぽとりと、地に落ちた。続いて春子のふにゃけた体がその上に重なった。まるでスローモーションのようだった。

「春子！」

そこから先はビデオの早送りだ。私たちは一斉に春子へと駆けより、校庭にいた教師たちも集まってきて、若い男教師が春子を抱えて保健室へと連れ去った。黒魔女もいそいそとその後に従い、カセットデッキだけがいつまでもチャカチャカと演奏を続け、その小さなスピーカーの前には四十一人の途方に暮れた影だけが残された。

声もなかった。私たちは右手の縄を垂らしたまま、見てはいけないものでも見たようにおどおどとその場に立ちつくした。誰もが春子の倒れる瞬間を瞳に焼きつけていた。なぜならそのとき、春子は「動作が小さい！」とみんなの前で一人だけ特訓を受けていたのだから。

砂上に沈む赤い縄。

もろく崩れるきゃしゃな膝。

とろける蠟《ろう》のような白い肌。

その残像はこれまでの何よりも私たちを戦慄《せんりつ》させた。グラウンドの真ん中では鼓笛隊がすでに聴き飽きた『トルコ行進曲』をくりかえし、その周りではリレーの代表選手たちがバトンタッチの練習に明け暮れ、片隅の鉄棒では下級生たちがはしゃぎ声を上げ、時間は確実ににぎやかに流れていたけれど、私たちはその軌道の外でいつまでも硬くなっていた。どうすればいいのかわからない。どうなっていくのかわからない。こんなときはいつも横目でトリの様子をうかがっていた私も、この日ばかりは動きかけた目を哀しく宙に留めた。

もういいや、とふいに思った。トリは冬眠中で、春子は貧血で、うちのクラスはもうぼろぼろなのだ。そう観念した瞬間、私は右手の黄色い縄を地面に叩《たた》きつけていた。

クラスの全員が私に注目した。落ちつけ、やけを起こすなと警告する目もそこにはあった。私はそれを無視して背中をむけ、かつんと地を蹴《け》って駆けだした。

もういやだ。こんなクラスはいやだ。たくさんだ。夢中で校庭を突っ切りながら、春子はもう明日から学校に来ないかもしれない、とふと思った。そのほうがいい。それがいい。あたしだってもうこんなところには何の未練もない。

滑るように昇降口をくぐり、逸《はや》る手つきで靴を替え、四階までの階段を一気に駆けのぼる。五年一組の扉を開けると、がらんと無人の教室に私の荒い息づかいだけが反響した。私は肩を揺らしながら自分の席へむかい、机の上に畳んで重ねた服に手を伸ばした。背中からもう一人の荒い息がきこえてきたのは、そのときだ。

ふりむくと、トリがいた。

「トリ……」

心臓がとくん、と正直にうなった。トリは戸口から困ったような、弱ったような目を私にむけていた。それからきゅっと口許《くちもと》を力ませて歩みよってくると、ものも言わずに私の手首をつかみ、夕日の射しこむ窓辺へと引っ張っていった。

「なに？」

とまどう私に返事もせず、カーテンを寄せて窓ガラスを全開にする。吹きこんできた風に前髪を躍らせながら、トリは無言のままグラウンドの一角を指さした。

さっきまで私たちがダンスの練習をしていた一角。けれど今、薄日の射すそこには一人の影もなく、代わりに四十二本の縄がその鮮やかな色を絡《から》めあうように打ち捨てられていた。

「考えてみるよ」

廊下のむこうから近づいてくるクラスメイトたちの足音をききながら、トリが小声でつぶやいた。

「何ができるか、考えてみる」

今でもこの瞬間を思い出すと、私の心にぽっと雪解けの花が咲く。トリが戻ってきた、冬眠から目覚めたというだけで、なぜあれほどの安堵《あんど》感を覚えることができたのだろう。

トリに限らず、男子というのは私たち女子のうかがい知れないところで何かを決意し、長い眠りに入ったりする生き物だった気がする。それまで良いコンビだった友達と急に距離を置いたり、いきなり勉強に専念しだしたり。そのたびに私たち女子はおろおろと動揺し、いったい何が起こったのかとお節介な心配をしたものだ。

あの頃、固く閉ざされた瞼《まぶた》の下で、男の子たちはいったい何を考えていたのだろう。

たいしたことは考えていなかった気もするが、ともあれ、トリは覚醒《かくせい》し、同時に行動を開始した。

「明日の朝、七時に椿《つばき》公園へ集合」

と、私のもとに五年一組の〈闇の連絡網〉なる電話がかかってきたのは、春子の倒れたその夜のことだ。トリは早くも対策に乗りだしたようで、私は熊やリスも冬眠から目覚めるなりこんなにすばやく動きだすものか、と驚いたり、もしかしたらトリは眠りながらずっと片目を開けていたのかもしれない、と頬をゆるめたりした。

意外な電話はそれだけじゃなかった。私が〈闇の連絡網〉を次の子へまわした直後、再び電話がジリジリと鳴った。

「もしもし、紀ちゃん？」

ぴんと語尾の上がる高い声。忘れるわけはなかった。

「春子？」

「うん」

「久しぶり。……あ、貧血」

「もう平気」

「そっか」

「さっきね、〈闇の連絡網〉がまわってきた。あれ、トリが……」

「うん。トリが何か考えてる」

「知ってる。さっきトリが電話くれたから。……その、貧血のこと心配して」

「ほー」

「それでトリがね、紀ちゃんがあたしのこと、心配してくれてるって言ってたから……」

ありがとう、と春子は疲れた声を出した。

「なんかね、嬉しかったっていうか、ほっとしたっていうか……。あたし、紀ちゃんにはずっと悪いなって思ってたの。あっちのグループに行ってから、あたし、なんかつんけんしてヤな感じだったでしょ。自分でもわかってて、でもやめられなかったんだよね。ごめんね」

「いいよ、もう」

以前と変わらない春子の声をききながら、もしかしたら春子もしばらく冬眠していたのかもしれない、と私は思った。

「もういいよ。あたし、春子が黒魔女の前で西さんのこと庇《かば》ったとき、かっこいいって思ったから。あれで一気に尊敬した」

「……でも」

春子の声がトーンを落とした。

「でもあれは……あれはあたし、べつに西さんのためとかじゃなかったんだ。あの頃あたし、すごくうぬぼれてたから、だからあたしなら黒魔女に何を言ってもだいじょうぶって、何でもできるんだって、そんな得意な気分だったんだよ」

「そっかー。でも、いいじゃん。それでも春子は、誰にもできなかったこと、やったんだから」

「そうかな」

「うん」

「そうならいいけど」

春子の声に明るさが戻ったのと同時に、受話器のむこうから春子、とおばさんの渋い声がした。だめよ、春子、まだ寝てなきゃ。

「じゃ、明日、七時に椿公園ね」

「うん、明日、絶対ね」

早口で約束し、ちん、と受話器を戻した私は、自分の中にぴりりとした緊張感が芽生えるのを意識した。

明日、七時に椿公園。

あたしたちは黒い魔法から目覚めることができるのだろうか。

椿公園は、私たちの通う畑中《はたなか》小学校から徒歩五分ほどの、町の中心地点にある。さほど広くないその敷地にはブランコも滑り台もなく、白砂を敷いた円形の広場をぐるりと椿の木が囲み、その中央にある円卓を何十もの切り株がランダムに取り巻いていた。

ぼやけた曇天の朝、約束の七時にこの切り株に腰かけたクラスメイトは、三十七人。寵愛グループの三人と、誰とも決して口をきかない女子と、いつも遅刻する男子は姿を見せなかった。が、その数人の欠落を補ってあまりあるほどに、集結した三十七人は皆、打倒黒魔女への闘志に燃えていた。

「このままじゃおれたち、みんなそのうち春子みたいになっちゃうぜ。もう黒魔女のこと、親に話して何とかしてもらうしかないよ」

「そう。それでPTAを味方につけるの」

「それより、校長先生に直訴だよ」

トリがまず最初にしたのは、そんなみんなを鎮《しず》めることだった。

「みんな、落ちついてよ。親に言うとか、PTAに頼むとか、校長先生に直訴するとか、みんなが言ったこと、ぜんぶ去年、うちの姉さんがやってるんだ。でも無駄だった。ほとんどの親はベテランってだけで深沢のこと信じきってるし、たとえ二、三人の親が何か言ったって、PTAは相手にしてくれないよ。PTAの役員はほとんど深沢の子分みたいなもんだし、だいたい校長先生だって深沢の尻に敷かれてるくらいだし。それに校長先生は、あの人、握手マンだし」

「握手マン？」

「なあ、徹《とおる》」と、トリは男子の一人に目をやった。「おまえ、健ちゃんとけんかして校長室に連れてかれたとき、どんなだった？」

「えーっと……仲良くしなさいって、健ちゃんと無理やり握手させられて、終わった」

「柴田くんが女子とけんかしたときは？」

「男子も女子も仲良くって、握手させられて、終わった」

「みんなは深沢と握手がしたいわけ？」

トリに問われて、私たちは沈黙した。さっきまでの勢いが早くもしぼみつつあった。

「じゃあ、どうするの。黒魔女退治なんて、あたしたちには無理ってこと？」

たちまち弱気になった私たちに、トリはぽつぽつと言葉を選びながら言った。

「退治するのは無理だと思う。でも、みんなのかかってる魔法を解くことはできるかも」

「魔法？」

「うん。この前、のりまきが言ってたんだけど、おれたち今、深沢の言葉に乗せられて、おかしくなってると思うんだ。五年一組だから一番にならなきゃいけないとか、悪いことしたら癌になるとか……。そんなとんとんちきなこと、ほんとはあるわけないじゃない。で、提案なんだけど、まずはこれから深沢のこと、黒魔女って呼ぶのを禁止しない？　みんなさ、あいつのこと黒魔女だなんて思うから、逆らうのが怖いし、あいつがすごいこと言ってる気がして、乗せられちゃうんだよ。黒魔女、黒魔女って呼ぶたびに、みんなも自分に魔法をかけてるんだ」

「でも」と、私の横からクー子が口をはさんだ。「あたし、あの人は本当に本当に黒魔女だと思う。だってカードにそっくりだし」

「それは、他人の空似《そらに》だよ」

「でもでも、あの人、怖いことばっかり言うし。病気の話とか」

「それはね」と、トリは端的に言った。「それはあいつが黒魔女だからじゃなくって、病気の話が大好きなおばさんだからだよ」

「病気の話が大好きな……おばさん？」

「うん。人はね、年を取るとだんだん、病気がちになって、周りにも病気の人が増えていくんだ。それで、そういう話を大袈裟《おおげさ》にしゃべりたくなったりもするんだよ」

「………」

「…………」
「…………」
「…………」
「…………」

本当はまだまだ三十六人分の「…………」を連ねたいくらい、私たちはトリの話にすっかり虚を衝《つ》かれた。病気の話をするのは黒魔女だからではなく、病気の話が大好きなおばさんだから。身も蓋《ふた》もない話だが、それでいて目からうろこ級の説得力がある。

「それから、これまで深沢にパン焼いてもらった人には悪いんだけど」と、トリは言いづらそうにつけたした。「おれ、この前、あいつがあのストーブで自分の靴下あたためてんの、見ちゃったんだ。だから、あの上でパン焼いてもらって喜ぶのも、やめたほうがいいと思う」

「ひゃあああ！」

この先制ダブルパンチのもたらした効果は絶大だった。

黒い魔法とコッペパン。それまで私たちが深沢サヨ子に抗《あらが》いがたい力を感じていたとしたら、それはこの二つに大きく支えられていたと言える。その大事な神器《じんぎ》を、トリは一瞬のうちにただのがらくたにしてしまったのだ。熱くなっていた私たちはすっと冷え、そうして冷静に見つめ直してみると、確かに深沢サヨ子はただのおばさんそのものだった。ヒステリックで、見栄《みえ》っぱりで、自分の思い通りにいかないと当たりちらすそこいらのおばさん。先生というのは神様ではなく、もちろん魔女でもなく、その原型は普通のおばさんなんだ。学校の先生もおばさんなんだ、という発見は私にとって大きな衝撃だった。

これまであたしたちが恐れてきたものは何だったのか。

これまであたしたちが崇《あが》めてきたものは何だったのか。

見当ちがいのものを恐れたり崇めたりしてきた日々は何だったのか。

と、私はこのとき、グルを失った信者のように茫漠《ぼうばく》とした思いにとりつかれていたのだが、しかし、三十七人もいれば多彩な反応があるものだ。

「なーんだ。ただのおばさんだったら、みんなでやっつけちゃえばいいじゃん」

男子の一人がお気軽な声を上げるなり、「そうだ、そうだ」とお気軽集団が同調し、その場につかの間の高まりが戻った。

「ばかだねえ」と、それを一喝したのが学級委員長の高橋さんだ。「いくらおばさんだって、相手は校長先生だとかＰＴＡだとか内申書だとか、いろんなおまけがついてるおばさんだよ。変なことしたら、こっちがやられちゃうに決まってるじゃん」

「じゃ、どうすりゃいいんだよ」

「だから、おばさんをやっつけることより、どうやって自分たちを守るかってことを考えるんだよ。あの教室で、これからはびくびくしないで楽しくやっていく方法を見つけるの。そうでしょ、トリ」

「あ……うん」

トリがきょとんとうなずくと、高橋さんは満足げにうなずいて中央の円卓に進み出た。

「じゃ、学校始まるまであと三十分くらいあるから、みんなで話し合おう。これから五年一組でうまくやっていく方法」

高橋さんはつい昨日まで寵愛グループにいた一人だが、いつの世も、どんな革命も、最後の仕上げはこういう切り替えの速い人間が持っていくものかもしれない。

ともあれ、トリに代わって議長の座についた高橋さんの下で私たちは知恵を絞りあい、この日、五年一組の〈闇の三ヶ条〉なるものを編みだした。

一つ。今後は家庭学習の量を競ったりせず、絶対学習も監視係もなくなるように、みんなで歩調を合わせていくこと。成績でほかのクラスと張りあうのもやめること。

二つ。今後も定期的に〈闇の集会〉を開いて、何かあったときにはみんなで話し合うこと。

三つ。今後、誰かが深沢サヨ子からひどい目にあったら、みんなで守ってあげること。

いつもは鼻の穴に鉛筆をさしてへらへら踊っている男子がこの三つめを提案したとき、私たちはなんだか後ろ暗い思いに駆られて、気まずく沈黙した。本当はこの三つめが一番大切で、それをせずに来たことが春子を苦しめ、深沢サヨ子を増長させた原因であることを、誰もが認めていたのかもしれない。

「〈闇の三ヶ条〉、みんなで守ろうぜ」

「うん、絶対」

「絶対」

みんなで誓い合い、そろって学校へと足を踏みだしたとき、それでも私は今後のことに大きな期待を抱いてはいなかった。あの教室に絶対なんてものはないことを学んだばかりだし、長いことバラバラだった五年一組はまたいつ空中分解するかわからない。なにしろ、敵は魔法をなくしてもなお、十分に手強いおばさんだ。私たちが結束すればまた次の手を打ってくるだろうし、中にはうっかり乗せられてしまう子もいるかもしれない。

それでもこの日、何も知らない深沢サヨ子が「じつはうちの父が今、原因不明の神経痛で……」と朝の会で口にするなり、どっと教室に笑いがはじけたのをきいたとき、だいじょうぶかも、と私はこの半年間を耐えぬいた自分たちのタフな明日を信じてもいいような気がした。

だいじょうぶ。

神様も魔女もいない教室で、あたしたちは何とかやっていけるだろう。

第三章　春のあなぽこ

「あ。動いた」

「なんか……速いよね、国鉄って」

「うん。速い気がする。なんか……」

「なんか、どきどきしてきた」

「うん」

「うん」

走りはじめた電車の扉に額を押しあてて、私たち——私と春子とクー子は、空と大地の狭間《はざま》へ吸いこまれていくホームを見届けた。一瞬の心細さは移ろう景色に流され、足下から伝わる振動と天からそそぐ春光に、心はたちまち浮き足だっていく。

十二歳の春休み。数日後には中学生になる私たちにとって、これはちょっとした卒業旅行の始まりだった。

「すごいね、あたしたち、ほんとに千葉まで行っちゃうんだ。あたし、友達とこんな遠くまで行くの、初めてだよ」

「あたしだって。千葉って遠いしごみごみしてるから、家族とだってそんなに行かないよ。いつもは近くのデパート。電車も京成《けいせい》」

「あたしなんて一年ぶりだもんね、千葉」

そう、ほんの十年前までは村と呼ばれていた町に住む私たちにとって、大型デパートの連なる千葉は津田沼《つだぬま》、船橋《ふなばし》と肩を並べる大都会だった。そこへの行程はまさに長旅。なにしろ最寄りの国鉄（現ＪＲ）駅に出るのでさえ、家からは自転車で四十分もかかる。バスもあるにはあるけれど、本数は一時間に一本にすぎず、節約も兼ねて私たちはこの日、朝の九時からあくせく自転車を走らせてきた。

子供同士で千葉なんて、と渋い顔をする母には、「いつまでも子供と思っていても、もう中学生なんだよ、お母さん」と静かに諭《さと》して説きふせた。そのくせ電車賃は「中学校の入学式までは小学生だもんね」とちゃっかり半額の子供料金ですませた。

「ほんとのとこ、あたしたちって今、小学生なのかな、中学生なのかな」

赤い「小」マーク入りの切符を手に、春子は物思い顔でつぶやいたけど、私にはそんなのどちらでもよかった。

もう小学生ではないような、でも中学生でもないような、空白の二週間。ぽっかり口を空けたあなぽこみたいな季節。

私はただその浮ついた時間を浮ついた心でふわふわとやりすごしたいだけだった。


が、実際問題、中学校の入学式を数日後に控えた小学生というのは、そうそう浮ついてもいられないらしい。

「ねえねえ、あの子、あの奥に座ってる派手な子、南小の生徒じゃない？　ミーヤンが言ってたけど、南小の子ってみんな派手で気が強くて乱暴なんだって。そんでもってうちらのこと田舎者とか言ってるんだって。やだな、そんな奴らと同じ中学に行くなんて」

「ねえねえねえ、あの子、あの眼鏡かけてるまじめそうな子、里小の生徒じゃない？里小の子ってみんなまじめで頭良くってＮＨＫしか観《み》ないんだって。やだなー、そんな子たちと一緒に勉強するなんて」

各停の黄色い電車に揺られること数十分。クー子はそのあいだ、家から持ってきたお菓子をバリバリ齧《かじ》りながら「中学なんて行きたくない」とぼやき続けた。そして千葉駅に到着し、その入り組んだ構内に圧倒されたクー子がようやくおとなしくなったかと思うと、今度は春子が「あたしなんて」と言いだした。

「クー子や紀ちゃんは同じ中学だからまだいいよ。あたしなんて知らない子ばっかりのところだよ。あたし、私立の中学なんて受けなきゃよかった。受けてもわざと落っこちればよかった。ミーヤンからきいたんだけど、私立に行くのってお金持ちのお嬢さんやお坊ちゃんばっかりで、みんなすごいびらびらしたドレスとか、豪華な乗馬服とか着てくるんだって。給食もナイフとフォークでお上品に食べて、笑うと金歯がきらきら光って、放課後は乳母や執事が外車で迎えにくるんだって。はあ」

「……ミーヤン、話ふくらませてない？」

人混みに流されるように入った駅ビルをぶらつきながらも、春子の口から洩《も》れてくるのはため息ばかり。「まだ小学生でいたい」だの、「六年一組は良かった」だの、クー子と嘆きあっている。

盛りさがる一方のムードに危機感を抱いた私は、五階のレコード売場でついに立ちあがり、「クー子も春子も、やめようよ」と二人をぴしっと一喝《いっかつ》した。

「そんな昔のこととか、先のことばっかり考えてたって、しょうがないじゃん。今日は今日のことだけ……せっかく千葉まで来たんだから、千葉のことだけ考えよう！」

確かに六年一組は良かった。私たちのクラスは五年生のとき、担任に外れてさんざんな目にあったけど、おかげで生徒同士の結束は強まり、いつのまにかものすごく仲の良いクラスになっていた。それは六年生になって担任が代わってからも続き、ほかのクラスから「一組は楽しそうでいいよなあ」とうらやまれるほど、教室にはいつもさざめく青葉のような笑いが萌《も》えていたのだ。

が、それも今では過去のこと。どんなに恋しがったところで時間が逆戻りするわけじゃない。

「ふーん。紀ちゃん、割りきってるんだね。卒業式ではあんなに泣いてたのに」

「ほんとになんともない？　紀ちゃんは中学校のこと、いろいろ考えて怖くなったりしないの？」

裏切り者でも見るような目をする二人に、私は「しないよ」と胸を張ってみせた。

「だってあたしは今を生きてるし、それに……それにそんな先のこと考えなくたって、ほかにもいろいろ考えることあるし」

「いろいろって？」

「だからその……たとえば、恋のこととか」

「恋!?」

たとえ話を誤った、と気づいたときには遅かった。クー子と春子は同時にすっとんきょうな声を上げ、黙々とレコードを選んでいた人々の視線が私たちに集中した。天井のスピーカーからは二日前に解散したピンク・レディーのメドレー曲が流れていた。

「恋……。紀ちゃん、恋をしてるんだね」

クー子はてろんとした目で私を見つめ、

「で、相手は？　どんな人なの」

「それはその……」

「トリ？」

「えっ」

「あ、やっぱりトリだ、その顔！　だって紀ちゃん、トリと腐れ縁だし、きょうだいみたいに仲いいし、それに四年生のときの告白タイムで結婚するならトリって言ってたし……あれ、でも、そういえば春子も……」

ぎくりとなった私から、クー子が「あれれ」と春子へ目を移す。

「春子とトリも恋人みたいに仲よくて、交換日記とかしてて、二人して同じ私立の中学に行くし……あれあれ」

みるみる赤らんでいく春子の頰《ほお》を見て、クー子はようやく自分の鈍さに思い至ったらしく、きょときょと視線を泳がせはじめた。

「あれれれれー」

もはや完全に収拾がつかなくなっている。

「行こ」

私はふうっと息をつき、床へ伏せた顔を持ちあげられずにいる春子をうながして、歩きだした。

春子が素直に動揺できたのは、勝者だから。

私が平静を装うしかなかったのは、敗者だから。

その単純な仕組みが今はよくわかる。

春子とトリ。いつも私と一緒にいたこの二人が、いつのまにか私のいないところで一緒にいるようになり、今では二人だけの特殊な宇宙の中にいる。それは私にとって不本意な、不可解な、不条理ともいえる運命の番狂わせだった。

スタートラインは同じだったはずだ。いや、私のほうが一歩リードしていたともいえる。私は恐らくトリにずっと淡い好意を抱いていて、五年生の秋、彼が冬眠から目覚めたときにそれをはっきり自覚したのだけど、錯覚や妄想でなかったら、トリもその頃、私に少なからず好意を抱いてくれていたと思う。黒魔女の一件を境に私とトリはそれまで以上に距離を縮めて、休み時間に二人で長話をしたり、授業中に何度も目を合わせたり、時には電話をかけあったり、なんともまあいいムードに発展していたのだから。けれど私はそのままで、その状態で十分に満足していたから、二人の関係を恋だとか両思いだとかの言葉で完成させようとはしなかった。

一方、春子は捨て身のアタッカーだった。春子も私と同様、黒魔女の一件を境にトリを意識しはじめたらしく、そして彼女は最初からそれを恋と確信していたから、強かった。手紙を書いたり、手作りのお菓子を贈ったり、「好きな動物は？」などと記したアンケートを渡したり。春子はマメにひたむきに恋のスパイクを打ちこんでいった。そして、トリは人がいいからいやな顔もできないんだろうなー、などと余裕をこいていた私がふと気づいたときには、春子とトリはすでに「春ちゃん」「真《まき》くん」と呼びあう仲になっていたのだった。

心と心がつながっている、と感じられるのは素敵なことだ。でも、それはよりまっすぐな瞳や言葉やアクションを前にして、はかなく敗れ去ることもある。心に頼りすぎてはならない。アクションを怠《おこた》ってはならない。恋愛は最終的にマメなほうが勝つのだと、似たような失敗と学習をくりかえした今の私にはわかっても、渦中《かちゅう》にあった十二歳の私には何も見えない。わからない。

私はただその望ましくない展開に、初の失恋に、トリが私よりもほかの子を好きになったことに、傷ついていた。

けれどもその相手が春子なだけに、どうにもならなかった。

「あっ、この顔、いい」

「えー、こっちのオーバーオールのほうがいいよ」

「ヨッちゃんの笑顔、もう最高！」

クー子の失態後、私たちのムードは当然のごとく悪化し、もうこの日は終わった……と一時は観念したほどだったが、そこに救世主のごとく現れたのが人気爆発中の三人組、たのきんトリオだった。彼らのキャラクターグッズを扱う専門店を見つけたとたん、私たちはパワー全開でよみがえったのだ。

「あー、この下敷き、欲しい！　けど高い！　ポスターも、これ以上貼ったら母べエに怒られるし」

「鉛筆なら安いよ。あたし、新学期の鉛筆、これにしようかな」

「いいね、それ。それと消しゴムのセット。うっ、でもやっぱしプロマイドも欲しい……」

トシちゃんファンの春子に、マッチファンの私。そして各グループに一人はいた（というか、一人しかいなかった）ヨッちゃんファンのクー子。私たちはその場にしゃがみこみ、何を買おうかとさんざん頭を悩ませたあげく、結局その場では決められず、お昼を食べながら考えることにした。

小腹も減ってきた十一時半。お弁当持参で来ていた私たちは、とっておきの穴場を知っているというクー子の案内でエスカレーターを昇った。各フロアを次々と通過し、最上階のレストラン街へ到着しても、クー子は「もっともっと」と階段でさらに上を行く。成長しすぎた犬たちがあくびをしているペットショップを抜けると、ふいに暖房が冷風に変わり、がらんとだだ広い屋上へ躍りでた。

　今日は使われていないイベント用の舞台や、小さなゲームセンター、自動販売機などの点在する殺風景な空間だ。

「前に父べエと来たとき、あの上で一緒にハンバーガー食べたの。芸能人になったみたいで気持ち良かったよ」

　クー子が無人の舞台を指さして言った。

「勝手に上がったりして怒られない？」

「だって誰もいないじゃん」

　見渡すと、風の音しかしない屋上には確かに人気《ひとけ》がない。従業員どころか客の姿もなく、フェンスの前で白いシェフ帽をかぶったおじさんが煙草をふかしているだけ。金網のむこう、煤《すす》けた千葉の摩天楼ではおびただしい数の人間が、上から見ると算盤《そろばん》の玉みたいにぱちぱち動いているのに、私たちのいるここだけがなんだかぽっかりと雲の上のようだった。

　入口付近の販売機で飲みものを買うと、私たちはパイプ椅子の並ぶ観客席をすりぬけ、イベント用の舞台によじのぼった。そのまま縁に腰かけ、それぞれの膝《ひざ》に載せたお弁当の包みを広げる。と、ふいにクー子が「あーあ」と声を尖《とが》らせた。

「あたしもやっぱりファンタにすれば良かった。コーラなんて買っちゃった。あーあ、あーあ」

クー子は時々、こうして何の脈絡もなく不機嫌の虫に襲われる。いつものことなので流していると、「いいよ」と、春子が横からファンタオレンジの缶を差しだした。

「いいよ、あたしのと替えたげる」

「いいの？」

「うん、あたしコーラも好きだし」

クー子はとたんに機嫌を直して、「じゃ、あたしのウインナーあげる」と笑った。

春子は変わった、と思うのはこんなときだ。前から賢くてしっかり者で、でもどこか人に厳しいところのあった彼女は、例の黒魔女騒動を境に、ぐんと優しくなった。何事も先頭に立とうとせず、一歩引いてその場の空気を読むようになり、なんだかしっとり女らしくなって、人の甘えも許してくれる。髪も伸ばしてまたポニーテールにしているけど、トリが今の春子を好きなのは髪型のせいではないだろう。

私は春子の横顔から目を逸《そ》らし、煎《い》り玉子と豚そぼろの二色ごはんをせっせと喉《のど》へ押しこんだ。春子はサンドウィッチを、クー子はぎゅうぎゅう詰めのノリ弁を、スモッグ臭い空気の中でも満足そうに平らげていく。

「小学校の給食、まずかったけど、おいしかったね」

ふいにクー子がつぶやき、私と春子を苦笑させた。

「どっちだよ」

「だから、味はまずくても、なんかおいしかった」

「うん」

「なんかね」

「なーんとなくね」

「中学のはおいしいかな」

「そりゃ私立のはね、やっぱ予算がちが……」

「あたしね」と、春子はクー子をなにげなく遮り、「あまったプリンとか冷凍みかんとか、みんなでジャンケンで取りあうの、一回くらい参加すればよかったな。勝って喜んだり、負けてくやしがったりしてみたかったって、最近思うんだよね」

「中学で参加すればいいじゃん」

「でも、私立の子は食べものを取りあったりしないって、ミーヤンが……」

淡雪みたいな雲が切れ切れに太陽をかすめ、私たちを翳《かげ》らせたり光らせたりしていた。春子は食べかけのハムサンドをバスケットへ戻し、現れては消える足下の影をじっと見つめて、やがて「ね」とその目を私たちへ移した。

「鉛筆だけど、やっぱりたのきんじゃなくって、みんなでおそろいのにしない？　ミーヤンのもみんなで買ってあげて、四人でおそろいの鉛筆にしない？」

その目があまりに必死だったから、私とクー子は箸《はし》を休めて顔を見合わせた。

「たのきんの鉛筆じゃ、おそろいにならない？」

「うん。だってトシちゃんとマッチとヨッちゃんは、いくら仲が良くても、やっぱり別人だから。それにミーヤンは新沼謙治《にいぬまけんじ》のファンだし。もっとはっきり一緒の、どこから見てもおそろいのがいいの。そしたら私、ちがう学校にいても鉛筆見るたびにみんなのこと、思い出す。遠くにいてもとなりみたいに思い出せるから」

蓋《ふた》をして鍵をかけてバリアを張っていた。

はずのその奥が、きゅっと軋《きし》んだ。

危ない。私のそこはそんなに強くない。

「わかった、じゃあたのきんはプロマイドだけにして、鉛筆はみんなでおそろいにしよう。何から何までそっくりなやつ」

「いいの？」

「あたしね、ほかにも好きな人がいるの！」

クー子、春子、私……の順の発言と思ってほしい。

クー子が春子に賛同し、春子の瞳がぱっと輝いたところで、私が強引に話題をかっさらった、わけだ。

「……え」

「ええっ」

しばしの沈黙のあと、春子とクー子はそろって体をのけぞらせた。

「ほかにもって？」

「確かにあたし、トリのこと好きっていうか、いい人だなって思ってたけど、でもそれってきょうだいみたいな感じだった気もするの。でも今度のはね、なんか恋っていうか、ときめくっていうか、きっと本物なんだ」

「で、相手は？」

「たぶん南小の子。名前は知らないけど」

「南小？　あ、もしかして」

鈍いのか鋭いのかわからないクー子がぴんときた。

「あの悪ガキ軍団の？」

私は頬をぽっとさせ、乙女っぽくしなりとうなずいた。

うそではない。トリへの未練を引きずりつつ、私にはまた新たに気になる相手もできていた。その頃、毎日のように友達と遊んでいた近所の空地に、やはり毎日のように奇襲をかけにきた男の子だ。当時はまっていた缶蹴《かんけ》りをしていた私たちの前に、子分のようなガキどもを従えて颯爽《さっそう》と現れ、妙な雄叫《おたけ》びを上げながら自転車で走りまわって、再び颯爽と去っていく。名前も住所もわからないゴリラ顔の男の子。

「紀ちゃん、あんな悪ガキのどこがいいの？」

クー子が驚くのも無理はなかった。

「そりゃあね、あたしも最初は思ったよ。乱暴そうで、言葉も悪くて、バカとかブタとかすぐ言うし、あたしのこと勝手にワカメとか呼んで、だからあたしもその子のこと心の中でカツオって呼んでるんだけど、とにかく初めはいやだったの。でもなんか、だんだん会うのが楽しみになって、その、ちょっとワルっぽいところが魅力っていうか、結婚するならトリだけど恋人にするならカツオっていうか……」

私は照れてうつむき、確かに誰もがワカメちゃんを彷彿《ほうふつ》とするであろう頭をゆさゆさと揺すった。トリへの失恋後、思いきって髪を切りに行ったら、私以上に思いきりのいい美容師に当たってしまったのだ。

「セカンド・ラブ、か。紀ちゃんもやるなあ」

驚きのあまり言葉もないといった春子の傍《かたわ》らで、クー子は屈託《くったく》のない声を上げた。

「で、その、カツオのほうはどうなのさ。むこうも紀ちゃんに気があるわけ？」

「知んない。だってしゃべったことないし」

「え、しゃべったことないの？」

「いつも一方的にからかわれてるだけ。でもね、あたしと目が合うとその子、二人だけのサインを送ってくれるんだ。あたしとその子の秘密のサイン。だから、あたしもそれを送り返すの」

「うっわー、なんかロマンチック」

「でしょ。今はまだわからないけど、あたし、いつかそのサインの意味を知るときが来るような気がするの。いつかきっと……」

ドラマみたい！　とすかさず合いの手を入れるクー子に、まだぱちくりと瞬《まばた》きをしている春子。そう、あたしは新しい恋に生きるのよ、と冷たい風に吹かれながらも私の心はぽっぽと熱かった。

まさかその「いつか」がすぐそこまで迫っているなんて、このときはまだ知る由《よし》もなかったのだ。


おかしな方向へ沸いたランチタイムを終えたのが、午後一時。冷えた体でたのきんショップへ引き返し、一人一枚ずつプロマイドを買うと、私たちは近くの千葉そごうへと移動した。おそろいの鉛筆はそごう内にあるサンリオショップで選ぶことにしたのだ。

「あたしね、さっきはびっくりしたけど、でも良かったと思う、紀ちゃんとカツオくんのこと。なんかね、へんな意味じゃないけど、あたし、紀ちゃんには真くんより、カツオくんのほうが合ってるって気がするんだ。だってほら、真くんてたのきんでいうとトシちゃんタイプでしょ。紀ちゃんはマッチ派なのにおかしいなって、ほんとは疑問だったの。でもカツオくんはやんちゃなマッチっぽい感じだし、今度こそ紀ちゃんの運命の人って気がする」

駅前の通りは連なる車の排気ガスに煙っていた。私とクー子がお洒落《しゃれ》な雑貨屋に気を取られたり、目つきの怪しい男にびくついたりしながら歩いているあいだ、春子は一人揚々と私の新たな恋を祝福し続けた。最初は素直に喜んでいた私も、祝福＝春子がいかに私に気兼ねをしていたかという証拠、と気づいたとたんにダークな気分へ転落。そもそも私はトリの本質はトシちゃんではなくマッチにちがいないと思っていて、この期《ご》に及んでまだ自分のほうが春子よりもトリを知っている気でいたのだ。

春子は急に無口になった私を「どうしたの」「お腹痛い？」などと気にかけていたものの、いかにも老舗《しにせ》然とした千葉そごうへ入るなり、

「やっぱ駅ビルとはちがうね。駅ビルが普通の公立なら、そごうは私立の中学って感じ」

と、クー子がまたもよく考えずにものを言い、役割が逆転。

「やっぱりあたし、そんなにお金持ちじゃないし、私立の中学なんて……」

と、またまた春子が落ちこんでしまった。

「だいじょうぶだよ、春子。そごうにだっていろんな人が来るんだから。みんながお金持ちってわけじゃないんだから」

そんなこんなで、そごうの一階から五階のサンリオショップへの道のりは、再び私とクー子が励まし役にまわっていた。

「ほら、あの人なんてさ、ぜんぜんお金持ちそうじゃないし」

「あの人も相当、無理してる感じだし」

フロアを見回しながらクー子と軽口を叩《たた》きあう。ついに春子はくすくす笑いだし、私たちも愉快になってきた。

「あのおばさんなんてあの毛皮、ネズミの毛皮だし」

「あのおじさんの鞄《かばん》はトカゲの革だし」

「ひゃはは！　あの男の子なんて……」

調子に乗った私の振りあげた右手が、ぴたりと静止した。その指先が示そうとしていた先——文具売場の一角に、見知った顔がひょっこり浮かびあがっている。

ややだらしないジーンズ姿に、わんぱくそうなゴリラ顔。くるくるとよく動く大きな黒目。

「あ」

カツオだ、と私は確信した。と同時に、うそだ、とそれを否定した。思いがけない遭遇に心臓がばくばくと乱れる中、私の瞳は冷静に受け入れがたいものまでも捉《とら》えていた。

ふでばこコーナーの前にいたカツオは、英語のロゴが入った青い缶ペンケースを片手に、何やら怪しい挙動を見せていたのだ。

「あ、あれって紀ちゃんの……」

私の視線を追ったクー子を「しっ」と制して、私はカツオの動きを注視した。LARKの紙袋を左手に下げた彼は、レジにいる店員の様子をうかがいつつ、やがて右手のペンケースを紙袋へ押しこんだ。まさに瞬間芸、鮮やかな手際《てぎわ》であった。

などと感心している場合ではなく、運命の人の思わぬ悪事を目の当たりにして、実際のところ、私はほとんど泣きそうだった。

「万引きだっ。あいつ、今、万引きした」

「うん、あたしも見た……」

クー子と春子の声が届いたのか、足早に立ち去ろうとしていたカツオがこちらをふりむいた。

一目で私に気がついたようだ。目が合うと、彼は一瞬「おっ」という顔をして、それから悪びれずににんまりと笑った。続いて右手を持ちあげ、いつものサインを送ってくる。

二人だけの合図。秘密の暗号。なかば放心していた私も反射的に右手を挙げ、握った拳《こぶし》の甲を彼のほうへむけて、ちょこんと中指を立てるいつものサインを返した。とたん、「紀ちゃんっ」と、クー子にその手を払われた。

「紀ちゃん、そ、そのサインは……」

ファック・ユーだよ、それ、とクー子が私の耳元でささやいた瞬間、私の新たな恋がガラガラと音を立てて崩れていったのは言うまでもない。

薄暗い階段で、少しだけ泣いた。悲劇のヒロインを気取るにはエピソードが安っぽすぎた。あんな奴なんて忘れちゃえ、と春子とクー子に言われ、私はカツオを忘れることにした。

「あたし、もう一生あの空地には行かない。あんな不良とは二度と会わない」

私は雄々しく宣言し、結構すぐに立ち直ったのだが、どちらかというと春子のほうがいつまでもいじいじと気に病んでいた。

「紀ちゃんに、幸せになってほしかったのに……」

一人悲しみに暮れる春子に、「なんか食べたーい」とやや不機嫌になりかけのクー子。そして、「男なんてさー」と肩をゆすって前を行く私。それぞれ思うところはあるものの、ひとまず本来の目的地であるサンリオショップへむかうことにした。

普段は地元の文具店で用を足している私たちにとって、大手デパートのサンリオショップは夢の御殿だ。目の眩《くら》むほどに強い天井からのライトに、苺畑《いちごばたけ》のように広く艶《つや》やかな店内。そこにはまだクラスの誰も手にしていない新商品もある。「あたしがサンリオの社長令嬢だったら！」「せめてその友達なら！」とひとしきり嘆声をふりまいたあげく、私たちはようやく鉛筆のコーナーに腰を据え、協議の結果、リトルツインスターズの鉛筆を選んだ。一本二十円のそれを三本ずつ、今日は法事で来られなかったミーヤンのぶんもお金を出しあって購入。キキ派の春子とララ派の私はもう大満足で、しかし一人、風の子さっちゃん派のクー子だけが機嫌を損ねてしまった。

私たちの機嫌は十字路の信号だ。

一方が青になれば、一方が赤になる。

一方が走りだせば、一方が立ちどまる。

そこで、私と春子はクー子を地下の食品売場へ連れていき、時間無制限食べ放題の「試食の旅」を開始した。おまんじゅう。クッキー。チョコレート。漬け物。しゅうまい。ソーセージ——。あんのじょう、私たちのお腹がふくれた頃にはクー子も満面の笑顔になっていた。

試食の旅の終わりはデパート巡りの終点でもあった。地下から一階へ戻り、ハンカチ売場の時計に目をやると、すでに三時四十分。そろそろタイムリミットだ。

「あー、楽しかった。帰りたくなーい」

「ほんと。みんなでまた来たいね」

「来れるかな……」

プロマイドと鉛筆の入った鞄を大事に抱え、もと来た駅へと引き返していく道すがら、私たちの口数が徐々に減ったのは不機嫌になったせいじゃなく、花火大会の終わりみたいな、雪合戦の終わりみたいな、ぽつんと心だけ残されるような物寂しさのせいだったと思う。浜辺に散った燃えかすや、泥にまみれた残雪を見たくないから、私たちは殊更《ことさら》に先を急いだ。

行き交う人々の足も速度を増した暮れかかりの千葉駅。残りわずかなお小遣いで切符を買うと、私たちは無言のまま帰りのホームへ足を進めた。なんだか気が抜けて、人混みにも疲れて、早く家に帰りたいけど帰りたくないような、微妙な気分。階段を上りきるとすでに一番線には中野行きの黄色い電車が待ちうけていて、もしもクー子があんなことをしなければ私はそのまま、微妙な気分のまま帰路についていたことだろう。

「乗ろっか」

と春子が電車の戸口へ足をむけ、

「うん」

と私がそれに続き、

「うん」

とクー子もうなずいた。

その直後だった。

車内に踏みこんだ私と春子がふりむくと、「うん」とうなずいたはずのクー子がまだホームの上にいる。

「クー子？」

「どした？」

同時に尋ねると、クー子は下唇をへの字に持ちあげて、妙に力ませた腕をぐいと突きだし、線路を越えた四番線に停車中の青い電車を指さした。

「あ……あ……」

「あ？」

「あっちの電車に乗らない？」

「へ？」

突拍子《とっぴょうし》もない提案であった。

「なんで。だってあれじゃ家に帰れないよ」

「だから、帰らないでもうちょっとだけ行かない？」

「どこに」

「わかんない。でも一つだけ。一つめの駅に停まったら、すぐに戻ってくるから」

ジリジリジリ——。一番線の発車を告げるベルが鳴っても、クー子は頑《がん》としてホームに両脚を踏んばったまま。体育の時間、男子はサッカーで女子だけ鉄棒なんてずるいと泣いて抗議したときと同じ、じわじわした目で訴えるように私たちをにらんでいる。

と、ふいに春子が「乗ろう」と手首を引っ張った。

「あの青いのに乗ろう」

つかまれたのは私の手首だった。

「急いで！」

「走れ、走れ」

「あー、ベル鳴ってるーっ」

ゼイゼイあえぎながら階段を駆けおり、地下の構内を突っ切って、青い電車の待つ四番線へと再びゼイゼイ駆けのぼった。ホームに出るとすでに電車のドアは閉まりかけていて、先頭を切っていたクー子が「早く！」と私たちをふりむいた。渾身《こんしん》のラストスパート。私たちはふらつきながらも狭《せば》まっていく戸口をめざし、一歩遅れていた春子を左右から引っ張るように車中へ押しこんだ。

滑りこみセーフ。私たちの背中すれすれでドアが閉ざされ、電車が武者震いのような振動を伴って動きだす。どこへ行くとも知れない青い電車が。

戸口の前にへたりこんでいた私たちは、やがて誰からともなくのっそり顔をあげ、窓ガラスのむこうを勢いよく横切っていく景色を見送った。

灰色のビルも、密集する民家も、その合間にうずくまる緑も、何もかもが一瞬のうちに視界を駆けぬけていく。さっきまで私たちがいた駅ビルも、千葉そごうも、カツオも、今では遠い空の下。走る電車はあらゆるものを小気味良いほど簡単に過去へと押し流してくれる。

「ほんとに乗っちゃった……」

みんなの荒い息にクー子のとぼけたつぶやきが混じると、私たちははたと我に返って目を合わせ、それから一斉に爆笑した。

「なんでーっ、なんであたしたち、青いのに乗ってんの？　なんで黄色じゃないの？」

「すっごい。うちらって、すっごい！」

「よくやるよ。もう、根性入ってるよね」

ひゃあひゃあと身をよじりながら互いの快挙を讃《たた》えあう。何がおかしいのか、何がすごくて何が根性なのか考えもしないまま、それでも何かがたまらなくおかしく、たまらなく楽しかったこの一時《ひととき》――。

私たちの腹部を疼《うず》かせていた笑いの波が徐々に引いたのは、電車が動きだして五分ほど経ったあたりだろうか。

五分。ひと駅ぶんの所要時間にしては長いほうだ。しかも電車は一向に減速する気配がなく、かなりのスピードで走り続けている。

いやな予感が頭をかすめた。

「まさか、これ……快速だったらどうする？」

「まさか」

「だって停まんないよ。それにやたら速いし」

電車が快調に飛ばせば飛ばすほど私たちは不安になり、十分も過ぎた頃には半ばパニックに陥っていた。

「止めてー。誰か止めてーっ！」

「やだ、またホーム通りすぎていくよ」

「このまま何時間も停まらなかったらどうする？　そんでもって、ぜんぜん知らない町にたどりついたら……」

「警察に助けてもらう」

「だって切符ないんだよ、あたしたち。無賃乗車だよ。前科一犯だよ」

「やだーっ」

言いだしっぺのクー子が真っ先に涙目になったとき、足下のバランスが急に崩れて、電車がかくんと減速した。ハッと目をやると、窓のむこうを流れる景色も速度をゆるめている。

「次は、八幡宿《やわたじゅく》、八幡宿……」

助かった！

と思うのは早かった。

八幡宿。

「それ、どこ？」

「まさか……もう東京だったりして」

「まさか」

「い……茨城だったりして」

「まさかまさか」

私たちが「まさか」を連呼しているうちに窓外の景色が停止し、静かに開かれた鼻先のドアから冷たい疾風が吹きこんできた。

「あ。海」

「千葉だ……」

一瞬、確かにかすめた潮の香り。懐かしい内房《うちぼう》の海の気配に、がちがちだった肩の力がやわらいだ。海=千葉、という発想は、今思うと海にも千葉にも失礼な気がするが、日本全国津々浦々、どれだけ多くの土地が海に面していようとも、当時の私たちにとって潮風とはやはり臨海学校や家族旅行で訪れた房総《ぼうそう》の沖から吹く風だった。

八幡宿の駅は古く閑散としていて、ホームの人気もまばらだった。とりあえずまだ千葉にいることを確信した私たちは、慌てず騒がずホームへと降り立ち、周囲の様子をうかがった。この日最後にして最大のピンチに見舞われたのは、このときだ。

帰りの電車はいつ来るのか、どこへ来るのかわからずもじもじしていた私たちを、改札にいた駅員が不審げに呼びとめたのだ。

「君たち、どうしたの」

私たちはぴくりと身構えた。

「呼んでるよ。行く?」

私がささやくと、クー子は「だめ」と厳《いか》めしく阻《はば》んで、

「行ったら、無賃乗車がバレバレじゃん。そしたらここまでの切符代、払わされるんだよ」

「そんなお金もうないよ」

「そしたら警察呼ばれるわけさ」

「ひえー、やっぱ前科一犯？」

「それより、親呼ばれたらどうしよう」

動揺する私たちの様子に、駅員のおじさんはますます首を傾け、

「ちょっと君たち、今、あの電車に乗ってきたでしょ」

ついには改札口を離れて私たちのほうへと歩みよってきた。

「ほら、そこの三人……」

みるみる迫りくる足音に、すくみあがる私たち。

「ひゃーっ！」


十分後、私たちはおとなしく肩を並べて、八幡宿駅上りホームの色褪《いろあ》せたベンチの上にいた。私はぼんやりとブルーグレイの空を見あげ、春子はじっと足下を見おろし、クー子は機械的にぽりぽりお菓子を囓りながら。

クー子の膝に載ったスヌーピーのスポーツバッグには、彼女が持参したお菓子がまだぎっしり詰まっている。駅員のおじさんはこの大きなバッグを怪しみ、私たちを家出少女と誤解して声をかけてきたのだった。「電車を乗りまちがえてしまって……」と春子が機転をきかせて説明し、「お一つどうぞ」とクー子がサイコロキャラ

メルを進呈すると、おじさんは簡単に私たちを釈放し、親切に帰りのホームまで案内してくれた。ついてないねえ、よりによって特別快速に乗りちがえるなんて、などとぶつぶつ言いながら。

「人騒がせな」

「ほんと、食べてばっかいるから」

私と春子がにらんでも、クー子はそしらぬ顔でお菓子をほおばったまま。柱をへだてたとなりのベンチでは白髪の老婆が虚《うつ》ろに宙をながめ、その頭上では分針の折れた時計がなあなあに時を刻んでいる。フェンス越しに見える駅前のロータリーでは募金箱を手にした学生たちが全世界の平和を呼びかけているけれど、めったに見えない通行人よりも彼らの数のほうが多いくらいだった。

「紀ちゃん、こういうの、好きそう」

遠くの、見知らぬ町の色彩に溶け入る、春子のいつもの声。

「こういうの？」

「ぜんぜん知らないところでぼけっとしたりするの」

「うん。わりと好き」

「紀ちゃんっぽい。あたしは結構、いろいろ考えちゃう。この町の人は何をして暮らしてるんだろうとか、名物はなんだろうとか」

「春子っぽい」

私たちはふふんと微笑みあった。

「家に着いたら、もう夜かな」

「うん。やばいね。お母さんたち心配するね」

「するね」

「まさか八幡宿にいるなんて思わないよね」

「ね」

「あたしたちだって思わなかったもんね、こんなところに来ることになるなんて」

「ほんと。こんなところに来るなんてね。でも……」

「でも？」

「いい思い出になった」

「…………」

春子のつぶやきを最後に、再び静寂が私たちを包んだ。

気がつくと、会話に入らずお菓子をむさぼっていたクー子の手が止まっていた。

「あたしさ」

顔の半分を西日で光らせて、クー子がいつになく硬い声を出す。

「あたし、うちの親には今日、千葉に行くって言ってないんだ。奴らは今頃、あたしが友達と花見川《はなみがわ》のサイクリングコースをちゃりちゃり走ってると思ってるわけさ」

「えっ」

「うちの父べエと母べエ、見かけによらず厳しいんだよ。行っちゃいけないとことかいっぱいあるし、小学生同士でデパートなんてとんでもないって、あたし、これまで友達と買い物なんてしたことなかったんだ。ほんとはあとちょっとで解禁なんだけど、中学生になったら誰とどこ行っても良くなるんだけど、でもなんか今のうちにそういうこと、しておきたかったんだよね。それで今日はさ、一番の仲良しと、千葉どころかこんなよくわかんないところまで来て、なんていうかすごく……すごく……」

満腹だよ、とクー子はチョコのついた口角をにっと持ちあげた。

「あたしも」と、左横からは春子の神妙な声もする。「あたしも今日、こんなところまで来て、なんか度胸がついたっていうか、ふっきれたっていうか……。これで私立の中学にも行けそうな気がする」

ちょっと待って。

妙に納得している二人のあいだで、私の心がうなり声を上げた。クー子も春子も早すぎる。私が痛すぎて触れられないところ、目を閉じてふわふわやりすごそうとしていたところを、二人はまともに直視し、嘆いて憂《うれ》えて立ち往生して、そして今、こうして無事に通過しようとしている。

「ねえねえきいて、あたしね」

なんだかいやだこんなのは、と思ったとたん、私は奇妙な金切り声を発していた。

「す、好きな人がいるの！」

「え……ま、また？」

「まだ……？」

ぎょっと顔を見合わせる二人に、「そそそそうなのっ」と一気にまくしたてる。

「そうなのそうなの、ほんとはあたしトリでもカツオでもなくて、もっと好きな人がいたの。に……西島さんっていうんだけど、その人、大学生で、大人で、優しいの。お姉ちゃんの家庭教師なんだけど、頭がいいし、行儀もよくて、こんな人と結婚したら一生安泰ねってお母さんも言うし、西島さんもあたしのこと紀ちゃん紀ちゃんってかわいがってくれて、だからもしかしたら彼もあたしのこと……」

懸命に言葉を探しながら、しかしそんなことはありえないと私は知っていた。西島さんは週に一度しか会わない他人だから優しいだけで、私が顧客の妹だから気を遣ってくれるだけ。私と姉が川で溺《おぼ》れていたら姉を助けるに決まっているし、そこにプライベートな彼女でもいたら、私たち姉妹はあれよあれよと下流まで流されていくにちがいない。

「それで、この前バレンタインにチョコをあげたら、西島さんもホワイトデーに飴《あめ》をくれて、それがもうクラスの男子なんかとは段違いに大人の味で……」

そして私自身、西島さんに恋などしていないこと、語尾に「ね」をつけるトシちゃん風のしゃべりがどうしても好きになれないことに気づいていたから、私の声は自然と最初の迫力を失い、尻すぼみになってぷつんと絶えてしまった。

「紀ちゃんって、意外と……インラン」

静まり返ったホームにクー子のシビアな声が響く。

「でも、ちょっとうらやましい。こんな時期に、同時に何人も好きになれるなんて。それじゃ確かに中学のことなんか考える暇もないよね」

春子もへんな苦笑いを浮かべている。

刻々と陽の傾いていく空の下、ちがう、と私はたいへん孤独な気分で思ったけど、口に出すとそれはまたしても別の方向へ暴走しそうな、第四の恋でも語りだしそうな、あるいは卒業の日のようにぎゃんぎゃん泣きだしそうな気がしたから、

「恋は、数じゃないけどね」

自分でも意味のわからないつぶやきを最後に、黙って帰りの電車を待つことにした。

帰りの道のりは行きよりもずっと長かった。上りの内房線快速電車で千葉へ戻り、今度こそ一番線の黄色い電車に乗ると、往路ではあれほど速く思えた国鉄も、さらに

速い特別快速を体験した後ではやけにどんくさく感じられる。ラッシュアワーの車内でどうにか二十分を凌《しの》いだ私たちは、なじみの駅に降りたったとき、自転車で来たことをどんなに悔やんだことだろう。

クー子、春子、私、と一列になって自転車を走らせた黄昏時《たそがれどき》。雲の襞《ひだ》が巧みな夕映えのフリルを描く空の下、下り坂や砂利道に差しかかるたびに、前を行く二人の背中は私から遠ざかったり近づいたりをくりかえした。

「ほんじゃ、また」

夕風に耳がじんじんしびれだした頃、ようやく昔ながらの民家が建ち並ぶ町に到着した。

まずは一丁目の角でクー子が列を外れた。

「じゃ、紀ちゃん、入学式で会おうね」

「うん」

「春子も、また遊ぼう。私立の中学ったってそんなに遠くじゃないし、引っ越すわけでもないんだし。またいつでも会えるよ」

「ほんとだね」

春子が笑顔を返すと、クー子は「さらばじゃ」と腰を持ちあげ、よいしょよいしょと急な坂道を上りつめていった。

二人きりになると同時に辺りの薄闇《うすやみ》が深まり、ペダルを漕《こ》ぐ足が一層重くなった。四丁目の春子の家まではあとわずか。六丁目の町外れに住む私は、いつも最後まで残されるはめになる。

「じゃ」

瞬《また》く間に分かれ道へさしかかり、春子がハンドルを傾けると、私はとっさにブレーキをかけて地面に足をついた。

ふりむくと、春子も自転車を停めていた。

「じゃ、紀ちゃん、またね」

「ん。またね」

またね、と言いあいながらも私たちはその「また」がいつ来るのか知らない。朝になったら会えるわけでも、月曜日が来たら会えるわけでも、春休みが明けたら会えるわけでもない。

「またいつでも遊べるよね。私立の中学ったって、そんなに遠くじゃないんだから。引っ越すわけでもないんだから」

心の内側は言葉にならず、さっきのクー子の台詞《せりふ》をそのままくりかえすと、春子は小さくうなずいて、それから「あの……」と張りつめた顔を持ちあげた。

「あのね、紀ちゃん。あたし……あたしが私立の中学に行くの、真くんが行くって言ったからじゃないから。お父さんやお母さんと相談して、自分でもいろいろ考えて、それで決めたの。時々後悔もするけど、でも、自分で決めたの」

柔らかくなった春子の瞳の奥で、持ち前の強い意志が今も静かに光っている。

私はその光を吸いこむように見つめ、こっくりとうなずいた。

「うん。春子っぽい」

春子の表情が崩れた。

「ありがとう」

それから長い年月が流れて、私たちがもっと大きくなり、分刻みにころころと変わる自分たちの機嫌にふりまわされることもなくなった頃、別れとはこんなにもさびしいだけじゃなく、もっと抑制のきいた、加工された虚《むな》しさや切なさにすりかわっていた。どんなにつらい別れでもいつかは乗りきれるとわかっている虚しさ。決して忘れないと約束した相手もいつかは忘れると知っている切なさ。多くの別離を経るごとに、人はその瞬間よりもむしろ遠い未来を見据えて別れを痛むようになる。

けれど、このときはまだちがった。十二歳の私はこの一瞬、自分の立っている今だけに集中し、何の混じりけもないさびしさだけに砕けて散りそうだった。

「手紙書く」

「あたしも。電話もする」

「あたしも」

「ばいばい、春子。トリと仲良くね」

「紀ちゃんも、お姉ちゃんの家庭教師の先生と仲良くね」

春子の後ろ姿が闇に呑《の》まれて消えると、私はきゅっと口許《くちもと》を踏んばり、自転車のサドルへ跨《また》がった。走りだす前に頭をそらして瞳を水平にすると、春宵《しゅんしょう》の空にちらつきはじめた星がぼやけて倍に映った。

私立の中学なんて月より遠いに決まっている、と思った。

第四章　DREAD RED WINE

中学時代。人はそれをナイフのように鋭く、ガラス細工のように繊細な時代と言う。が、はたしてそれは本当か？

私自身の過去を顧みたとき、思い出すのはナイフのようでもガラス細工のようでもなく、もっとつまらないがらくたみたいな自分だ。あの激烈な三年間、いわゆる思春期の直中《ただなか》をつぶさにたどればたどるほど、本当のところ私は前髪とファッションと男の子のことしか考えていなかったのではないか、とさえ思えてくる。

あの頃、「大人はわかってくれない」とうそぶきながら、その実、私はさほど興味のない大人より、切りすぎた前髪のほうに心を痛めていたのではないか。

「教師なんて信じられない」と目をむきながら、瞳の端ではいつも気になる男の子を追っていたのではないか。

突風のごとく吹きぬけていったあの時代を追いかけ、正確に取りもどすことなんて誰にもできはしない。

今の私にできるのはあの風の感触を思い出すこと。

そして、「あなたはなぜ前髪にこだわるのか」の問いに答えることくらいだ。


私の通っていた山吹《やまぶき》第一中学校は、髪型に限らず、何かにつけて校則の厳しい学校だった。

校則の厳しい時代だったのかもしれない。当時は全国規模でツッパリが流行し、どこそこの中学で窓ガラスが何枚割られたの、リンチで何人負傷したののニュースがあとを絶たず、学校側は非行防止のためにこぞって校則強化に力を入れていた観がある。

前髪は眉毛の一センチ上。肩についた髪は黒ゴムでしばる。スカート丈は膝下《ひざした》八センチ。靴下は白で三つ折り。鞄《かばん》のまちは五センチ以上。リップクリームは薬用に限る。などなど。

今の中学生がきいたらあまりの無意味さに失笑しそうなこれらを、教師が大まじめに生徒へ強要し、それに生徒も大まじめで抵抗していた時代が、まだ生暖かい過去に確かにあったのだ。

声を張りあげて抵抗していたのは、少々不良っぽいけれど根はまっすぐな、勉強のできる生徒たちだった。彼らが言葉巧みに自らを主張し、教師たちを手こずらせながらも基本的にはうまくつきあっていた一方で、心の澱《おり》を吐きだす術《すべ》を持たずに荒れていく子たちもいた。

私はその前者にも後者にも属さない普通の生徒だった。決まりを守り、教師と争わず、無難に生きていた大多数の一人。学校の鳥小屋にいた鳥たちが一夜にしてツッパリ集団に惨殺される時代には、目立つことよりも目立たないことのほうがより切実な価値を持つ。スカート丈を守ること、白い靴下を三つ折りにすることで安全なところにいられるのなら、私は甘んじてそうしようと思っていた。教師が、学校が怖いから。

しかしある意味、最も恐ろしいのは私の母だったかもしれない。

母はかつて美容師を志していた時期があり、その夢の残り香のように家には本格的な髪切りバサミがあった。そして結局は普通のＯＬとなり主婦となった怨念《おんねん》を晴らすがごとく、彼女はそのハサミで私の〈前髪眉上一センチ〉をかたくなに、執拗《しつよう》に守りぬこうとしたのだ。

入学当初、私が学校で下ばかりむいていたのは、中学という新しい舞台に物怖《ものお》じしていたせいだけではなく、眉毛まるだしの前髪が切なすぎたからだった。とくに切られた直後の数日は悲惨で、教室や廊下で笑い声がするたび、誰もが自分を笑っている気がした。

もちろん母には抗議した。ここまで厳格に前髪を切っている生徒など、学校広しといえど私しかいない。校則を守りすぎている自分はかえってみんなから浮いていて、今の中学ではこれがいついじめの原因になってもおかしくないのだ、と。

しかし、母にはそうしたローカルな問題がいま一つぴんとこないようで、彼女はあくまでグローバルな視野で物事を捉《とら》えようとするのだった。

「紀子。社会にはね、ルールが必要なの。決められたルールをみんなが守らなければ、秩序などすぐに乱れてしまうわ。もしも紀子がルールを破るなら、ほかの誰かが破ったときにも、あなた、文句は言えないのよ。殺されたって文句は言えない。それでもいいの？」

私は殺しよりもいじめが怖かった。それは振動のように肌に伝わる生々しい感覚で、その恐怖を知らない母の言葉はまるで空虚だった。と同時に、ここで逆らえば母は機嫌を損ね、私はしばらく居間でのんびりくつろぐこともできなくなる、という未来図もまた生々しく、私は結局それ以上の抵抗を捨ててしまうのだった。

ピントの外れた母に屈して、白いタオルを首へ巻く。

洗面台の鏡越しにハサミを手にした母の楽しげな顔を見る。

時折、私はその光るハサミを母の喉元《のどもと》へ突きたててやりたい衝動に駆られた。

原因はあくまで前髪であるにもかかわらず、それは濁りのない冴《さ》えた殺意だった。

もう一つ、原因は卑小ながら当時の私を真剣に悩ませていたことがある。

「紀ちゃん。昨日もテニス部、来なかったでしょ。必ず来るって約束したのに」

その朝も、私が机にうつぶしてまどろんでいると、頭上から恨めしげな声がした。来たな、と覚悟して頭を持ちあげると、一時限目の始まりを待つ教室のざわめきを遮るようにして、目の前に同じグループの三人が立っている。のっぽのハセに、八重歯の山さん。二人はチューリップの葉のようにつねに千佐堵《ちさと》をはさんでいる。

「ごめん。昨日は急にお腹が痛くなって……」

私がみえみえの言いわけをすると、真ん中の花はしおれた雑草でも案じるように私の顔色をうかがった。

「紀ちゃん、おといもそう言ってなかったっけ。急にお腹が痛くなったって」

「お腹、弱いの」

「先週はずーっと頭痛だった」

「頭も弱いの」

「先々週は神経痛」

「雨の日になるとじくじくと……」

「紀ちゃん」と、千佐堵は力なく首を揺さぶった。「そんなにテニスが嫌い？」

大嫌いだった。

中学生になって、部活にでも入ろうかと思い、入学当初にとなりの席にいた千佐堵と同じテニス部に入った。もちろん『エースをねらえ!』の影響だが、その安易な選択の結果、私は自分がいかに運動音痴かを思い知らされるはめになった。先輩には「邪魔しに来たのか」と怒鳴られるわ、顧問の先生には「マネージャーという道もある」と迫られるわで、毎日が涙の雨。千佐堵の手前、それでもしばらくは続けてみたものの、ひそかに憧れていた先輩から「眉毛ちゃん」とからかわれたのを最後に、私は完全な幽霊部員と化した。

「まだおばさんに言ってないの? 退部のこと」

千佐堵の問いかけに、私は気まずく目を伏せた。

「うん。だって許してくれっこないもん」

「どうして」

「ラケット買ってもらうとき、しつこく念を押されたの。一度始めたことは最後までやりぬくのが我が家のルールよ、って。そんなルール、これまできいたこともなかったのにさ、よっぽどラケット代が惜しかったんだよね」

「そんなこと言ったらかわいそう。だいじょうぶ、ちゃんと話せばおばさんだってわかってくれるよ。ラケットよりも紀ちゃんのほうが大事に決まってるもの」

「そうかなあ」

「だって紀ちゃんのお母さんだよ。紀ちゃんのこと、一番わかってるはずだし、紀ちゃんが本気でぶつかっていけば、絶対、受けとめてくれるよ」

「そうかなあ」

「わたしね、紀ちゃんがテニス部やめちゃうのは残念だけど、でも本当にそうしたいならしょうがないと思うの。紀ちゃんには、お母さんのためでもラケットのためでもなく、自分のために生きてほしいから」

　テニス部に入ると同時に新入部員のリーダーになった千佐堵の激励に、私が「そうかなあ」と返すよりも早く、卓球部のハセと文芸部の山さんが「そうだよ」「そうだよ」と声を合わせた。千佐堵の言うことは確かに正論で、そこには人を安心させる堅固な力がある。

「でもね、今みたいに中途半端なのは良くないよ。やめるならやめる、続けるなら続けるって、きちんとけじめはつけなきゃ。けじめをつけるまでは紀ちゃん、まだテニス部員なんだから、ちゃんと放課後の練習にも顔を出すこと。ね？」

「んー」

「約束だよ」

「うん」

私がしぶしぶうなずくと、山さんとハセがわっと拍手をして、千佐堵が「よし」と微笑んだ。

すでに何度も同じ約束をして、そのつど私は破ってきたのに、千佐堵は懲《こ》りずにそれをくりかえし、そのたびに山さんとハセはわっと拍手をしてくれる。入学式から約三ヶ月、席が近いというだけで同じグループになった彼女たちがみな善人であることに安堵《あんど》しながらも、私は時折なんともいえない居心地の悪さに襲われた。守られることはないと知りながら「約束だよ」とくりかえす千佐堵に、守る気もないのに「うん」と答える私。うそばっかり、とつっこむ声のない大まじめな空間が、妙にさびしかった。

もちろん私はその日も約束を破ったし、母に退部したい旨《むね》を打ちあけたりもしなかった。自分の気持ちを正面からぶつけ、母を説得するまでがんばるだけのガッツがあったなら、テニス部も投げださずに続けていただろう。

テニス部を辞めたい。その一言が言えなくて、私は毎日、放課後の町をさまよった。同じ道を幾度となく歩きまわり、商店街をぶらつき、スーパーマーケットを徘徊《はいかい》し、本屋で漫画を立ち読みし、歩き疲れると公園のベンチで休憩し、夕方、部活の終わる頃合《ころあい》になってようやく家路につく。いったい自分は何をしているのだろう、と何度も思った。どちらに足を踏みだせばいいのかもわからないようなときには、小学時代の友達に無性に会いたくなった。

でも、会えなかった。

時々電話で話をしていた春子は、早くもすっかり私立の中学に順応しているらしく、私も彼女の前ではついつい虚勢を張ってしまう。トリに弱音を吐こうにも、所詮《しょせん》は春子の彼氏なのだと思うと虚《むな》しさが先に立つ。同じ中学に進んだクー子とミーヤンは『ガラスの仮面』の影響で入部した演劇部に夢中で、今でも廊下で立ち話はするものの、それ以上の仲ではなくなっていた。

誰もがすでに新しい生活に溶けこみ、着実に一歩前へと進んでいる。

同じところをぐるぐるとさまよっているのは私だけ。

前髪を切られ、テニス部からは脱落し、家でも学校でもまるで冴えない今の自分を、私は彼らに見せたくなかったのかもしれない。

約二週間ほど続いた徘徊の日々は、ある日突然、終結した。

小雨の降り続く夕暮れ時、私がいつもどおり部活の終わった頃を見計らって家へ帰ると、ダイニングテーブルで母が文字通り、頭を抱えていた。「ただいま」と声をかけてもびくともしなかったから、私はその時点ですでに不吉な影を見ていたのだ。

凶兆はそれだけではなかった。普段なら夕食の皿で彩られているテーブルが、この日はやけにがらんとものさびしく、白いクロスの上には赤い葡萄酒《ぶどうしゅ》のグラスが見えるだけ。それは両親の作っている自家製の葡萄酒で、父はこれをご機嫌な夜に飲むけれど、母が飲むのはご機嫌斜めの夜、つまり酒でも飲まなければやっていられないときだった。

「こんなに恥ずかしい思いをしたのは生まれて初めてよ。お母さん、紀子がこんなにひどいうそつきとは知らなかったわ。もう、恥ずかしくて恥ずかしくて……」

やがて顔をあげた母の目は赤かった。が、それは葡萄酒のせいではなく、テニス部の顧問から電話を受けてからというもの涙が止まらなかったせいだ、と母が自分で解説した。

「紀子がテニス部を無断で休んでいたなんて……、お母さんに内緒で二週間も休んでいたなんて、本当に驚いたわ。しかもお母さん、先生になんて言われたと思う？　紀子さんのラケットはこちらで買い手を探しますので、どうか退部を許してやってください……って、あんた、先生になんて言ったのよ！　ラケット代がもったいないだなんて、そんなこと私がいつ言ったの？　お母さん、中古だから多少の値引きはご勘弁くださいとまで言われたのよっ」

仄《ほの》かに酒臭い母の剣幕に気圧《けお》され、私が途方に暮れているところに、姉がバイト先から帰宅した。

事情を知った姉は迷わず母に加勢した。

「なにそれ、信じらんない。まるでうちがラケット代にも困ってるみたいじゃない」

二人がかりで責められること一時間。最初のうちは悄然《しょうぜん》としていた私も、次第に頭が冷えてきた。すると、自分はなんだかレベルが低いというか、本筋から外れた叱《しか》られ方をしているように思えてくるのだった。

「ラケットのこと、あたし、先生に言ってないよ」

私はついに言い返した。

「なに？　じゃあ誰が言ったのよ」

「それは……」

千佐堵だな、と思った。千佐堵はなんの悪意もなく、むしろ善意で先生に告げたのだろう。紀ちゃんはラケットのことで悩んでいるんです、と。

「たぶん、友達」

「友達って？」

「いいじゃん、そんなの。部活さぼってたこと、隠してたのは悪かったよ。うそついてすいませんでした。でもあたしね、テニス向いてないの。みんながラリーしてるときにね、あたし一人だけ、素振りさせられるの。やっとラリーに入っても、ボールがあっちこっちに飛んで、みんなに迷惑かけるんだよ。二人組になるとき、みんながあたしを避けてるのわかるの。それでもがんばってみたけど、でも、どうしてもだめだった。テニス部、辞めたくて、でも言えなくて……」

私の下唇がどんなに震えても、母の激憤はおさまらなかった。

「今はそんなこと言ってるんじゃないでしょう。誰だか言えないってことは、やっぱり紀子が話したんじゃない。どうしてあなたはそうやってうそばかりつくの。私がラケット代を惜しんでテニス部をやめさせないなんて……そんな……守銭奴《しゅせんど》みたいな……」

母が再び泣き伏し、その肩を姉が「お母さん」とさすった。涙の先を越された私はやっとのことで口にした思いのやり場に窮して立ちつくした。母の嗚咽《おえつ》をきいているうちに、熱くなっていた喉の奥がすうっと冷めていき、これまでうすうす感じていたことが露《あら》わになっていく思いがした。

母は私の話などきかない。私の気持ちなどまったく興味がない。だからいくらでも前髪を切れるし、私がテニス部のことで何を言っても、大切なのはラケット問題であり、自分の名誉なのだ。

怒りとも失望とも、あきらめともつかない思いが私を波立たせた。私はとっさにクロス上の赤い液体に手を伸ばし、それを一気に飲みほした。自家製の葡萄酒は病院の飲み薬を渋くしたような味で、喉を通るときに一瞬うっときたものの、さして大きな衝撃はなかった。

「紀ちゃん、何すんのっ」

姉の慌て声を背に、私は足早に部屋を去り雨に煙る町へ飛びだした。

徘徊はもうお手のものだった。私は水色の傘を片手にずんずん突き進み、家の密集した住宅街を離れて小さな森を抜けると、長い坂道を下って公団住宅を通りすぎ、隣町の住宅街に入ったところでいったん足を休めた。そこまで歩いてわかったのは、自分がかなりお酒にいける口らしい、ということだった。

生まれて初めてアルコールを飲んだのに、顔が熱くなるでも鼓動が速まるでもなく、足下もふらついていない。強《し》いていうならばなんとなく頭がぽうっとして、あんな悶《もん》着《ちゃく》の後にもかかわらず、やけに心がふわふわする。

ららら。らら。らららら。

雨はもうほとんどやんでいた。私は傘をたたみ暗い空を見上げて歌いながら歩いた。

らららら。らららら。らららばば。

と、やがてその鼻歌に濁音が混ざり、らららがばばばへ、ばばばがばんばんばんへとすりかわっていき、いつしかリズムまでが調子を狂わせていた。

ばばんばばんばんばん、はーそれそれ。

異変に気づいた私がふりかえると、そこには青い傘があり、その下にニヤけた男の子の顔があった。

「よっ」

十年来の親友みたいに片手を挙げたのは、黒目のぎょろりとした、猿人系の、浅黒い肌の……。

「あ」

茅野《ちの》勇介《ゆうすけ》だ、と息を止めたとき、彼はすでに私の肩を気安く叩《たた》いていた。

「よ、ワカメ、久しぶりだな。磯野家の皆さんはお元気か？」

「ひゃああ」

「あ？　何がひゃあ？」

「だって……だって……」

「なにビビってんだよ。水くせーなー、俺とおまえの仲なのに」

「どんな仲？」

「万引き見られた仲」

よく動く瞳がいたずらっぽく光り、私はあの忌まわしい一件を思い出して奥歯を嚙みしめた。

小六の終わりに恋をしかけた男の子。そしてその恋をだいなしにした張本人。トリとは正反対の乱暴者で、でもなんとなくあったかい感じがしていたのに、彼は偶然とはいえ私の目の前で万引きを働いた。それ以来、私は彼の出没する空地には足をむけず、同じ中学に入ってからも廊下ですれちがうたびに目を伏せていた。

それでも完全に頭から押しやることができずにいたのは、一年E組の彼の噂《うわさ》が、C組の私の耳にまでしばしば届いていたからだ。

茅野勇介が担任に殴られた。茅野勇介がD組のかおりとキスをした。茅野勇介が三年のワルたちに呼びだされた。茅野勇介が三年のワルたちの仲間になった。茅野勇介が屋上で煙草を吸っていた。茅野勇介が隣町の中学に殴りこみをかけた。茅野勇介が駅前のゲームセンターで補導された――。

茅野勇介の名前はたちまち有名になり、私はそうした悪評の数々をきくたびに、この不良に深入りしなくて良かったと胸をなでおろしていたのだった。

まさかこんな夜に、こんなふうに会うなんて。

「ねーねーワカメ、どこ行くの？」

茅野勇介にきかれ、私はぷいと横をむいた。

「知らない」

「ふーん。知らないで歩いてんだ」

「知らなくたって歩けるし」

「知らないで、こんなに長いこと、歩いてるわけね」

私は用心深く彼を見上げた。

「どこからついてきたの？」

「森の前。おまえあの森ってこの頃、チンチンまるだしの露出狂が出るの知らねーの？」

彼は一瞬だけまじめな目つきになった。

「おまえがらんらん歌いながら歩いてるこの辺も、最近カツアゲとか多いんだぜ」

「だからついてきたの？」

「ってわけでもないけどさ。俺も俺でいろいろ考え事しながら歩いてただけ」

夜の薄闇《うすやみ》のせいだろうか。それとも葡萄酒のせいだろうか。長い前髪をディップで持ちあげ、ヤンキー風の赤いスウェットをだぼつかせている茅野勇介が、この日は学校ですれちがうときほど怖くなかった。

ついてくるならくればいい。気を大きくした私が再び歩きだすと、彼も無言で追ってきた。隣町の住宅街を抜け、大通りの歩道橋を渡って、曲がりくねった細い路地をすりぬけ、見たこともない川を渡ったところで、私は彼をふりむいた。

「考え事って、どんなこと？」

よくぞきいてくれた、というふうに彼は鼻を鳴らした。

「アイスのアタリ棒なんだけどさ」

「は？」

「ほら、アイスの棒についてるアタリの字。アタリが出たらもう一本ってやつ。おまえ、アイス食っててあれ出たらその棒、店まで持ってくか？」

「そりゃ持ってくよ」

「やっぱ？」

だよなー、とうなずいた茅野勇介はちょっと嬉しそうだった。

「やっぱ持ってってもう一本もらうよな。でもうちの兄貴さ、高二なんだけど、あれ当たっても持ってかねーんだよな。アタリ棒、捨てんの。惜しげもなく。そういうの見てっとさ、俺もいつかアイス当たってももらいに行かなくなるのかなーって。そのへんの境目っつーか、人はいつ当たったアイスをもらいに行かなくなるのだろうか……とかね、考えてたわけよ」

考え事としてはくだらない部類だが、このときはぴたりと私のツボにはまった。

「べつに、いくつになったって、もらいに行けばいいじゃん」

と、私は急激に悲しくなりながら言った。アルコールが喜怒哀楽を倍加させることをまだ知らずにいた。

「高校生になっても、大学生になっても、アタリが出たらもう一本なんだから。いつまでもいつまでももらいに行けばいいじゃん」

「そっか。いつまでもいつまでももらいに行けばいいのか」

茅野勇介はすっきりした表情で笑った。

「よし、じゃあ俺はシワシワジジイになってもオバちゃんもう一本っ、ってもらいに行くことにした」

「でもさ、今はそんなこと言ってても、ほんとにシワシワジジイになったらアタリが出てもぽいって捨てるんだよね。そもそもジジイはアイスバーなんて食べないんだよ。そうやってみんな大人になって、あたしだけがアイスのアタリ棒をいつまでもいつまでも後生大事に……」

「あ? なんだおい、どーしたよ。おまえ、へんだぞ」

「うん、なんかあたし、変なんだ。さっきお酒飲んだからかも」

「えっ。なにおまえ、まじめなくせに酒なんか飲むの?」

「だって目の前にあったんだもん」

「なんかあったわけ?」

「葡萄酒」

「じゃなくって」

「下世話な親子げんかだよ」

「ほほう」

まじめはまじめなりにいろいろあるんだなー、などと感慨にふけっていた茅野勇介は、やがて何やらひらめいたように私の腕をつかんだ。

「よしっ。じゃあ一緒に先輩んち行こうぜ。酒ならごっそりあっからさ」

「え」

「行こうぜ、行こうぜ」

いつのまにか完全に雨はやみ、夜空を塞《ふさ》いでいた雲も薄れていた。茅野勇介はそれに気づいて持っていた傘を道端に投げ捨て、私の腕をつかんだまま倍の速度で来た道を戻りはじめた。

「あ、傘」

「いいのいいの、どうせパクったやつだから」

「パク……」

「花と傘とチャリンコはパクっても罪にならないんだよ」

言いながら彼はいいことを思いついたというふうに瞳をきらめかせ、周囲の軒先にある自転車を片っ端から物色しはじめた。暗闇の中で忍びより、鍵のついていないものを探している。十分ほどで彼が目当ての自転車を見つけだしたとき、私は「やめなよ、やめなよ」とくりかえすのにも疲れていた。

「ほんじゃー先輩んちに、レッツ・ゴー！」

自転車の後ろに乗せられて茅野勇介の背中をつかんだとき、私はもうどうなってもいいような気がした。これまでまじめにやってきた自分が、葡萄酒を飲んで茅野勇介のパクった自転車に揺られ、誰だか知らない先輩の家へむかっている。それはじつに奇妙な感覚ではあったものの、その非現実性が、普段の日常からかけはなれた一時《ひととき》が、きゅうきゅうになっていた私を解き放ってくれたのも事実だった。不良の子たちが求めているのはスリルなどではなく、この虚構のような時間なのかもしれない。家のことも学校のことも一〇〇パーセント他人事《ひとごと》と思える、この一瞬——。

とはいえ、私の場合、それは本当に一瞬のことだった。

「その先輩ってのはさ、俺の先輩じゃねーけど、みんなそう呼んでっからとにかく先輩なわけ。みんなってのはそこにいるみんなで、先輩がいなくてもいろんな人間が勝手に出入りしてんだよ、そこんちは。いつもいるのはアヤさん……先輩の彼女な。それにコーイチさんにネネコ。アヤさんは鑑別入ったことあるけど、すっげー綺麗《きれい》でいい人。コーイチさんは家庭の事情ってやつでこれまで五回も名字が変わってて、酔うとその話ばっかすんだよな。ネネコはちょっと変わってて無口でタメなんだけど登校拒否してて……あ、それから暴走族の特攻やってるジンタさんって人も時々来る。それから……」

時間が経つにつれて葡萄酒の効果が薄れてきたのかもしれない。湿った風を受けながら茅野勇介の話をきいているうちに、私は急激にそこへ行く自信をなくしてきた。怖い、というのとはちがう。筋金入りの不良たちにかかわりたくなかったわけでもない。ただ、そこにいる彼らがそれぞれドラマティックな事情（鑑別所・五つの名字・登校拒否など）を抱えている中で、私の持ち駒《ごま》（前髪・ラケット）はいまいち重みに欠ける気がしたのだ。説得力がないというか。もうひと声ほしいところというか。

「到着！」

古びたアパートの前で彼がブレーキを鳴らしたとき、私はすっかり腰が引けていた。

「どうした」

なかなか足を踏みださない私を茅野勇介がふりかえる。初夏の夜はもう腰の辺りまで更けていて、雲間からのぞく月明かりが濡《ぬ》れた地面を白く照らしていた。

どう言えばいいのかわからなかったから、私は何も言わずに小さくかぶりをふった。

茅野勇介は何もきかずにうなずいた。

「そっか。ほんじゃーまた気がむいたら来いよ、いつでもさ」

からりと言って、二階へ続く鉄階段の手すりに手をかける。

「じゃ、チンチン男に気をつけて帰れよ」

「うん……あ」

とっとこ階段を上っていく彼を、私はとっさに呼びとめた。

「あの、質問なんだけど……」

「あ？」

「万引きとかしてても、アイスのアタリ棒って、やっぱり嬉しいもの？」

さっきから気になっていた素朴な疑問。ふいをつかれたように沈黙した茅野勇介が、やがてその顔いっぱいに邪気のない笑みを広げたとき、私はその笑顔のむかう先へついていけない自分を心から哀れんだ。

「ああ。きっと銀行強盗したって嬉しいもんだぜ、アタリは」


たとえばここに長々と続く道があり、その方々に幾つもの枝道が延びていたとする。まっすぐ本道を行くのか、枝道へ逸《そ》れるのか、その両者を分けるのはあくまで本人の意思であり、あの日、茅野勇介の誘いを断った時点で、私は枝道への逸脱を踏み止《とど》まったものと思っていた。そして止まったからには本道を無難に歩んでいくしかないのだと、あれ以来、母や姉に何を言われても逆らうのをやめた。

母もあの夜を境に少し変わった。

「お母さん、ちょっと言いすぎたわ。紀子がテニス部のことで悩んでること、ぜんぜん気がつかなかった私も悪いのよね」

母も母なりに反省したらしく、あの夜、すっかり酔いのさめた私が家に帰ったときには態度を一変させていた。

「このところ私もぴりぴりしてたのよ。ほら、悦子《えつこ》おばさんとこの逸美《いつみ》ちゃん、今、大変みたいでしょ。山吹一中も荒れてるなんて話をきくと、紀子はだいじょうぶかしらって、ついつい考えちゃって。自分の子供を信用できないのかってお父さんに怒られたわ。ほんと、自分の子供ですもの、もっと信用しなくちゃね」

などと言いつつ、母はあれ以来、駅の裏通りを巡回する補導員のような目で私を見る。

母はあの夜、茅野勇介の匂いを引きずって帰った私の様子に何かを察したのかもしれない。だからこそその後、私をそれこそガラス細工のように注意深く扱うようになり、テニス部の退部に際しても一切文句を言わなかった。

私が正式に退部したことを告げると、千佐堵はぴょんぴょん跳びはねて喜んだ。

「ああ良かった、これで部員のみんなに示しがつくよ。じゃ、ラケットのことは任せてね」

その件は母と顧問とで話がついているからもういい、と言っているにもかかわらず、その後も千佐堵は毎日のようにラケットの話を蒸し返した。彼女は途中入部の新人たちに私のラケットを勧めたりもしているらしく、私は見知らぬ同級生から突然値段の交渉を持ちかけられるたびに赤面した。善意というものの質《たち》の悪さに気づきはじめたのはこの頃だ。

ラケット以外にも思うところはあった。

ある朝のこと、私は登校中に同じクラスの男子から「ヘルメット頭！」と揶揄《やゆ》され、教室につくなり机にうつぶして泣いていた。その前日、母は明らかに私の前髪を切りすぎ、いっそかつらにしたいと思っていた矢先のことだった。

「紀ちゃん、泣かないで」

「あんな奴の言うことなんて、気にしない、気にしない」

ハセと山さんが私の肩をさすったりなでたりしているうちに、千佐堵が登校してきた。事情をきいた千佐堵は私の頰《ほお》を両手ではさみ、ぐいっと上向きに持ちあげた。

「紀ちゃん、泣いちゃだめ。泣いたり、顔を隠したりしたら、負けじゃない。みんなが前髪のことをからかうのは、紀ちゃん自身がその前髪を恥ずかしがってるからだよ。紀ちゃんが堂々と顔を上げてれば、からかう側のほうが恥ずかしくなるんだから。ね、だからちゃんと顔を上げて、みんなにその前髪を見せてあげて！」

千佐堵は正しい。立派で、尊敬に値する。けれどもどこかが決定的にずれている。

私はその日、千佐堵に顔を上げろと言われるたびにそのずれはなんなのか考えた。

それでも私は家庭と同様、学校でもなんとか折りあいをつけていくつもりでいたのだ。多少のずれには目をつぶり、千佐堵の発言にうなずいて、みんなが笑ったら声を合わせて。時折自分の中でもぞもぞとうごめく何かを殺せば、それはそれでうまくやっていけるものと思っていた。うまくやっていくしかないのだ、と。

私は波乱のない毎日を選んだ。

安全で退屈な日常を。

まじめで空虚な自分を。

眉毛まるだしの前髪を。

まっすぐな本道を。

私は選んだつもりでいた。

人が自らの意思でできるのは〈人生ゲーム〉でルーレットをまわす程度の選択にすぎないのかもしれない、と思うようになったのは、もっと後になってからのことだ。自分自身ではどうにもならないこと——運命と呼ぶにも足らないろくでもない偶然が、軽々と人の足下を狂わせることもある。

あの日のことをふりかえると、今はそう思わずにいられない。

人は極度のショックで記憶を失うこともあるというけれど、あの日の記憶はまさに断片の連続で、目にしたもの耳にしたもののすべてが粉々に散っている。

何の変哲《へんてつ》もない夏の一日。風もまどろむような午後だった。

私は一人、窓から西日の射しこむ自宅のリビングにいた。母はめずらしく外出中で、姉もまだ帰宅しておらず、家には私だけだった。テニス部を辞めて以来まっすぐ家に帰っていた私は、何一つ有意義なことをするでもなく、暇な放課後をテレビや漫画で埋めていたのだが、その日はそのどちらにも飽き飽きし、若草色のソファに寝ころんでアイスをなめていた。

考えていたのは、茅野勇介のことだ。茅野勇介はあれ以来、どこで顔を合わせても見事にしらんぷりを決めてくれたけど、私はアイスバーをなめるたびに彼のことを思っていた。彼のことを思うためにアイスバーをなめていたとも言える。それは一種のゲームでもあった。このアイス棒にアタリの文字が現れたら、今こそ彼に会いにいこう。今度こそ枝道へ踏みだそう。

それはあくまでもゲームにすぎず、たとえアタリが出ても実行などするわけがないと知りながら、それでも私は残りわずかなアイスから棒が透けてくるのを見ると緊張した。ハズレの文字が現れるとほっとしながらも腹を立て、役立たずの棒をゴミ箱に投げ捨てた。

その日も、ソーダアイスの人工的な青のむこうにハズレの文字を見た私は、ゴミ箱をめがけて大きく腕をふりかざした。

尖《とが》った爪に鼓膜を突かれたような衝撃を覚えたのは、そのときだ。

鋭い金属的な破裂音。雷鳴にも似たそれは私の耳をもわもわした残響で塞ぎ、その不透明なノイズがようやく引いたとき、私は床一面に散ったガラスの海にいた。

庭に面した窓のガラスが割れていた。隣家のいちじくを透かす高い小窓が、壁を飾る額縁のガラスが、天井の電球が割れていた。食卓とソファをへだてる食器棚のガラス戸が、その中のグラスが、ティーカップが、何十枚もの皿が、部屋中の、いつかは割れる運命にあるすべてのものが一瞬にして砕け散り、残されたのは床を埋める大量の破片だけだった。

いったいこれは何事か。

理解を超えた光景を拒むように目を伏せると、私の無地の巻きスカートには赤紫の水玉模様が浮いていた。

血だ。そう思った瞬間、私は果実が落ちるようにぽとり、と気を失った。

このあたりから記憶が曖昧《あいまい》になるので、私が本当に気を失っていたのかは定かでない。ややして姉が帰ってきたとき、私はカーネル・サンダースおじさんのようにその場に直立していたそうなので、少なくとも床に倒れたりはしていないようだ。

「ぎゃっ！」

姉の悲鳴。

ドアによろける音。

玄関へと駆けもどり、再びスリッパを履いて戻ってくる足音。

ガチャガチャと、床上の破片を押しやりながら歩みよってくる。

「紀ちゃん、これなに？　どうしたのこれ？」

裏返った声。

血の気をなくした頬。

その足下で茜色《あかねいろ》に照らされている破片たち。

部屋中にたちこめる葡萄の匂い。

……葡萄？

「紀ちゃん、紀ちゃん、しっかりして。ほら、危ないから二階に上がってなさい」

伯母の声で我に返ったときには、ガラスを失った窓の外が群青の闇にまかれていた。砕けた電球はまだ息を返しておらず、台所からの蛍光灯がガラスまみれのリビングをかろうじて暗黒から救っている。私は何を言われてもその場から動かず、伯母がほうきを、姉がちりとりを手に破片を処理していくのをながめていた。

母はこんな日に限って帰りが遅かった。代わりに後始末をしていた伯母は、姉からの知らせを受けて飛んできたようだ。彼女は近所に住んでいながらも母とは折りあいが悪く、この日も手早く後始末をしながら終始ぶつぶつとこぼしていた。

だから葡萄酒なんて……紀ちゃんが怪我《けが》してたらどうするつもりです……奇跡としか思えませんよ、この部屋にいて、無傷だなんて……素人《しろうと》のお酒造りは違法だっていうのに……素人の浅知恵ほど怖いものはないわ、ウイスキーの瓶で葡萄酒を作るなんて……発酵して、空気の抜け穴がなきゃ、そりゃ爆発しますよ……まったく法律違反なんてするもんだから、もう……。

それらの片言を拾っていくうちに、今日ここで何が起こったのか、何がガラスの海を招いたのか、その全貌《ぜんぼう》がおぼろに見えてきた。部屋中にたちこめるこのむんとした匂いの正体。スカートの血が痛みを伴わないわけも納得した。

と同時に、言いしれぬ怒りが私を突き動かした。

「どうしたの、紀ちゃん」

私は猛然とリビングを飛びだし、玄関の扉も駆けぬけ、生暖かな夜風を裂いてまだ走った。

当時の私はクールな女の子に憧れていたものの、やはり基本的にはおセンチな年頃だったのだと思う。というのも、中学時代、この日のことをふりかえるたびに『雪の女王』という童話を思い起こしていたからだ。呪われた氷のかけらを瞳に吹きこまれた少年に自分をなぞらえ、悲劇のヒロインを気取っていたのだろう。

しかしこの日、家を飛びだした私の目にすべてがちがって映ったのは事実で、もしも私の瞳に呪われたガラスのかけらを吹きこまれたのだとしたら、それは世界というものの輪郭をこてんぱんに打ち砕いてしまった。

濃紺の膜をかぶった黄昏《たそがれ》の町。私にはそれが葡萄のように真っ赤に燃えて見えた。あの家も、あの家も、あの家も、いつ唐突にうなりをあげて爆発するかわからない。世界はもろいもので、軟弱で、不安定で、油断がならない……。

私は急にしゃがみこみたいほど心細くなり、しばしその場に立ちつくした。

背中から私の名を呼ぶ声がしたのは、そのときだ。

「紀ちゃん？」

ふりむくと、元気のないときには極力会いたくない千佐堵が友達と立っていた。

「やっぱり紀ちゃんだ。良かった、これから紀ちゃんちに行こうとしてたんだよ」

テニス部の練習帰りなのだろう。ラケットを手にした千佐堵は揚々と声を上げ、ね、と横の子へ首を傾けた。

「この子ね、A組の由子《よしこ》ちゃん。今度テニス部に入るんだけど、まだラケット買ってないんだって。それで紀ちゃんの話をしたら、ラケット、半額だったら買ってもいいって」

「ラケット……」

私は「きびだんご」とでもつぶやくようにその音を声にした。あれだけ私を悩ませたテニス部も、今ではまるで日本昔話のように遠いものに思える。

「ラケット、あげる」

私は千佐堵と一緒にいる女の子に言った。

「あげる。お金いらない。タダでいいから」

ほんと？　とその子が目を見張るのと、私がその場から立ち去ろうとするのと、千佐堵が「待って」と叫ぶのと、どれが一番早かっただろうか。

憤然と私の前に立ちはだかった千佐堵は、いつにも増して熱かった。

「そんなふうに投げやりになっちゃダメ！　ラケット代、紀ちゃんにとってはどうってことなくても、紀ちゃんのお母さんやお父さんにとっては大事なお金だよ。紀ちゃんのお父さんが毎日、汗水流して働いて稼いだお金じゃない。それをこんなふうに無駄にしちゃダメだよ」

正論だ、と私は認めた。千佐堵が至極まじめにうちの経済までおもんぱかってくれているのもわかった。けれどこの子には私の涙目や、服に散った赤い染みが目に入らないのだろうか……。

千佐堵はまっすぐこちらを見据えているけれど、私にはこのとき、彼女が目の前にいる私ではなく、その背後にいる大勢に語りかけている気がした。千佐堵の言葉はいつもそうだ。そこに私しかいなくても、つねに見えない大多数へ発せられている気がする。

「ラケット代は、将来、働いて親に弁償する」

十三歳の私に放つことのできた精一杯の捨《す》て台詞《ぜりふ》。

千佐堵のわきを足早にすりぬけながら、私は彼女といると時々無性にさびしくなるわけを悟った。

とたんにさびしさが倍増して、今すぐ誰かに、普通に話のできる誰かに会いたいと思った。

でも、誰に?

考えるまでもなく、私の手はまだアイスのハズレ棒を握りしめていた。

てらてらと艶《つや》めく木製のドア。いかにも薄く、安っぽいベニヤ。その手垢《てあか》だらけの表面に忍びよると、奥の部屋からは宴会さながらのどよめきが伝わってくる。大声でしゃべり、けたたましく笑う男女の声。Rを巻き舌にするヤンキーの発音。まちがいない、ここだ。確信するなり、私の手はためらうことなく鉛色に変色したドアノブをつかんでいた。

拍子ぬけするほど軽く開いたドアのむこうから、ダーツの矢のような視線が飛んでくる。六畳一間の小部屋だったため、十二本のダーツは障害物もなくずばり私に命中した。

怖そうなお兄さんが二人に、怖そうなお姉さんが三人。そして見知った顔が一つ。

「あ、おまえ……」

そのとき、茅野勇介が声を上げなければ、私はへなへなと腰を抜かしていたかもしれない。

「なになに、おまえ、来たわけ？　マジで」

茅野勇介は困惑顔で言い、ほかの五人に「ほらこいつ、こないだ話したサザエさんちの……」などと説明を始めた。おかげで最も険悪な瞬間は去ったものの、足下から頭上へと這《は》いあがってくる彼らの視線——眼力で私を持ちあげかねない迫力は変わらなかった。

戸口の前に立ちつくしたまま、私は一人緊張に耐えた。むんわりとしたアジトにはアルコールと煙草とコロンの匂いが絡《から》まりあっていた。黄ばんだ畳の上にはウイスキーの瓶やらコーラの缶やら食べかけの菓子パンやら雑誌やら漫画やら吸い殻のあふれた灰皿やらが雑然としていて、その合間から眼《がん》を飛ばす彼らの金髪や茶髪《ちゃはつ》がにょっきり生えているかのようだった。よく見ると、彼らの服の表面からも龍、蜘蛛《くも》、骸骨《がいこつ》などの強面《こわもて》が私に眼を飛ばしていた。四方の壁を埋めるポスターからは横浜銀蝿《ぎんばえ》の四人も得意の眼を飛ばしていた。蛍光灯のまわりに群れていた虫たちも、当然、私に眼を飛ばしていただろう。

やっぱり帰ろうかな……。

私が後ずさりをしたそのとき、張りつめた弦を弾くように女の人の声がした。

「どうした、ワカメ」

美しく通った声だった。それでいて凄味《すごみ》のある響きだった。目をむけるとその人はその声と同様、繊細で美しい顔立ちをしていながら、それを自らぶちこわすようなどぎついメイクをしていた。

「あんた、泣いてんの？　ひどい顔だよ。洋服もどーしたよ」

正直、彼女は怖かった。けれど紫のラメで縁取られたその瞳は私だけを見つめ、その言葉は私だけにむけられていた。

「あ……あのあたし、あたしさっきうちが爆発して、部屋がぐしゃぐしゃになって……」

私は情けない声で、それでも必死にしゃべろうとした。しゃべることで彼らとの溝《みぞ》を埋め、彼女の関心をつなぎとめようとするように。

「ガラスがぜんぶ割れて、怖くて、な……なんだと思ったら、葡萄酒が爆発してて……」

「葡萄酒？」

「う……ううっ……」

「う？」

「うちの両親がお酒の密造を！」

その一言を口にするなり、こらえていた涙がどっとあふれだした。

「いつも校則を守れ守れって……あたしの前髪を切って、社会のルールを守れとか、我が家のルールを守れとか……なのに……なのにお母さんたちはお酒の密造を……」

あっけにとられている彼らの前でしゃくりあげながら、私は口に出して初めて、自分が何にこれほどショックを受けていたのかわかった気がした。

前髪を切られ続けた泣きごとではない。勝手なルールを押しつけられてきた恨みごとでもない。結局のところ、なんだかんだと強がりながらも、私はまだまだ子供だったのだ。だから堅物《かたぶつ》でも、ものわかりが悪くても、話が通じなくても、うっとうしくても、それでもやはり両親には正しい人間でいてほしかった。正義であってほしかった。法律違反などという陰のイメージからはかけはなれた聖域にいてほしかったのだ。

しかし一方、私の中にその陰を儲《もう》けものとする部分がまるでなかった、とは言いきれないのも事実なのである。これまで私にケチな悩みしか与えてくれなかった両親が、ようやく葡萄酒の密造というものものしい、いわくありげな家庭の事情を与えてくれた（とそのときは思った）。筋金入りの不良たちをもうならせる（うならせた気でいた）持ち駒を手に入れたという自信が、私を場違いなその部屋に留まらせていたのもまた確かなのだった。

そんなこんなで、悲喜交々《ひきこもごも》というか、様々な感情をないまぜにして私はハイに泣き続け、気がつくと彼らに囲まれてコークハイをあおっていた。安物のウイスキーをコーラで割った当時の流行。飲めば飲むほどに葡萄酒の残り香が薄らぎ、彼らの目からもよそ者へむける険が消えていく気がして、私は急ピッチでグラスを空け続けた。しまいには「もうよせ、酒がもったいねー」とストップがかかるほど深酒し、気分が悪くなるとトイレにこもって吐き、そのまま便器の横で寝た。

後に茅野勇介からきいた話によると、正体をなくした私を介抱してくれたのはあの綺麗な女の人、アヤさんだったらしい。

ふと目を開いたときにはもう深夜だった。私はいつのまにか布団の中にいて、部屋は静まり、窓からはいつかどこかで見たような月が透けていた。枕もとにはメイクを落としたアヤさんが膝を崩していて、その頬は月よりも澄みわたり、目が合うと彼女は小さくささやいた。

「今日はもう寝な。なんも考えないで」

私はうなずき、何も考えないで寝ることにした。

第五章　遠い瞳

『尚子《なおこ》様
前略。お便りありがとう。

新潟はまだ雪深く、春の息吹が待ち遠しいこの頃ですが、そちらはいかがですか？

尚子も色々と大変そうですが、まずは保明《やすあき》さんの昇進、心よりオメデトウ！

今度お祝いをしましょうネ。と言っても保明さんは相変わらず忙しいのかしら。会社で頼りにされてるのネ。仕事、仕事で子供の相談もろくに出来ないのは、我が家も同じ事。姉妹そろって仕事ニンゲンと結婚してしまったようですネ。

さて、紀ちゃんの件ですが、大事な姪《めい》っコの事、私も他人事《ひとごと》じゃありません。

最後に紀ちゃんと会ったのは敏正《としまさ》叔父さんのお葬式かしら。あの頃はまだ小学生であどけなく、あなたの後ばかり追い回していた紀ちゃんも、いつの間にか難しい年頃を迎えていたのネ。

そういう私も御存じの通り、つい最近までは逸美の事でさんざん頭を悩ませていました。やっぱり思春期には魔物が棲《す》んでいるのかしら。以前、逸美を襲った魔物が今は紀ちゃんを襲っているのかと思うと、あの頃の不安やら苦悩やらを思い出して、今のあなたの気持ちが苦しいほどに解ります。』


初めての無断外泊は、梅ジャムの味がした。酸っぱく、安っぽく、いかがわしく、体に悪そうなくどい味。最初はうえっと思うのに、なぜだか舌に残って後を引き、気がつくとやみつきになっている。

砕け散った葡萄酒《ぶどうしゅ》を返り血のように浴びたあの夜、私は見知らぬ先輩のアパートで昏々《こんこん》と眠り続けた。両親はその間、私の友達に電話をしたり警察に連絡したりと奔走していたらしいが、自分たちの過失で娘を危険にさらしたという負い目があるせいか、私の朝帰りを怒るに怒れず、ただただお互いに気まずいだけだった。

私はひどい宿酔《ふつかよ》いで、髪にも服にも煙草の匂いが染みこんでいて、酒臭い自分の息に幾度となく吐き気をもよおしながらも、その三日後にはまたふらふらと先輩のアパートを訪ねていた。あの夜の騒々しさ。わけのわからない狂乱。あそこにいれば何も考えずにいられるし、疲れたら眠ればいい。「また来たの」と気《け》だるい笑顔で迎えてくれたアヤさんは、その夜、オキシドールで私の髪を脱色してくれた。

夜遊びと外泊と宿酔いの毎日が始まった。私は夜な夜な先輩のアパートへ通い、そこでみんなとバカ騒ぎをしたり、先輩たちの転がすサイコロをながめたり、茅野勇介の持ちこんだ裏ビデオを鑑賞したり、時折訪れるロックンローラーにツイストを教わったりして無為に日々を過ごした。カッときやすい先輩たちはしばしば殴りあいのけんかをしたから、人間の骨が折れる音にもすぐ慣れてしまった。

毎日が派手に、乱暴に、行き当たりばったりに通りすぎていった。

前髪は瞬《またた》く間に眉を通りこし、私は鼻まで伸びたその隙間《すきま》からすべてのものをにらみつけた。

当然ながら母は躍起《やっき》になって以前の私を取り戻そうとした。父はその頃、出張続きで私よりも外泊が多く、世間一般の悪い例にもれず子供のことは妻に任せきりだったし、姉もバイト先の彼氏に夢中で妹どころではなさそうだった。孤立無援の母は一人で奮闘し、私を責めたり自分を責めたり父を責めたりしたあげく、しまいにはやたらと愚痴っぽくなって泣きごとをくりかえした。

「どうして。なんでこんなことになってしまったの？」

そんなことはお天道さまにもわからなかっただろう。

私が本道を逸《そ》れたきっかけは葡萄酒の一件だったかもしれないが、今はもう脇目《わきめ》もふらずにその枝道を突っ走っていて、十三歳という若さがそれを加速させ、母や父などまったく関係のない新しい風景の中にいた。以前はかなりの比重を占めていた家族にも今は無関心で、母がなぜ私に執着するのかふしぎなくらいだった。月並みなフレーズだが、私はただ「うるさい」母に「放っておいて」ほしかったのだ。

『逸美が暴走族のレディースで暴れていた時には、私もよく尚子に相談に乗ってもらいましたネ。お陰で随分励まされたものです。やっぱり身内はいいわネ。「親がどんなに頑張ったって、どうにもならない時期がある」と、あの頃、あなたの言ってくれた言葉をそのまま今のあなたへ贈りたいわ。本当に、親が頑張れば頑張るほど、子供は逃げていく時期ってあるのよネ……。

紀ちゃんには今がその時期なのかしら。

もともと紀ちゃんは感受性が鋭く、繊細すぎるのかもしれないわネ。だからこそ、世間や大人の俗臭に敏感で、普通の子たちが適当にやりすごしていく所で躓《つまず》いてしまう。心が澄んでいるからこそ、悪い色にも容易に染まってしまう。あの素直な紀ちゃんがこんな事になってしまうなんて、私には今でも信じられません（ああ、茶色い髪の紀ちゃんなんて！）。

でも、もしもそれが事実なら、やはり紀ちゃんを変えた原因の一端は友人関係にあるんじゃないかしら。あの年頃の子は総じて右へ倣《なら》えというか、友人がするから私も……と深い考えもなしに動いてしまいがちです。頭ではイケナイと解っていても、友人の手前、一緒にしなければ仲間外れにされるという怯《おび》えもあるようです。

逸美は幸い、大きなトラブルもなく済みましたが、暴走族の中には脱会する子の生爪を剝《は》がすようなところもあるそうだもの。ああ、コワイコワイ！』


酔って騒いで寝ているうちに中一は去って、中二になると私の周辺にはあきらめの色が漂いはじめた。精根尽きはてた母はもう放っておくしかないと半分投げだしたようで、あのやかましい学校の教師たちでさえ、私の校則違反やさぼりの数々をいちいちとがめなくなった。

大人から自由になった私は友達と連《つる》んでますます好きにやるようになった。

その当時、私がいつも一緒にいたのはヒロ、瑞穂《みずほ》、モンちゃんの三人だ。三人とも先輩のアパートで親しくなった同級生で、クラスはそれぞれちがったものの、そのクラスで浮いている点では共通していた。

「ねえ。国語の柳沢って教師、あいつ、いつか殺さない？」と、初対面で私に声をかけてきたヒロは、彫りの深いハーフのような顔立ちの美少女。そのこってりした容姿とは裏腹に性格は淡泊で、時折短気を起こしてもすぐに忘れるので、一緒にいて楽な相手だった。美少女のわりにモテなかったのは、眉を剃《そ》ったり制服のスカートを引きずったりしていたせいだろうが、それでも「顔さえ良ければＯＫ」というチャレンジャーが時々彼女の前に現れては、玉砕していった。今は男に興味がない、というのがヒロの決まり文句だった。

「とか言いながら、ほんとはやることやってんじゃないの？」

ヒロにフラれた男子から探りを入れられたりもしたけれど、実際のところ、私はそんなことまで関知していなかった。「誰と誰がくっついた」だの「別れた」だの「堕《お》ろした」だの、他人の色恋を年じゅう酒の肴《さかな》にしながらも、私たちは互いの恋を打ちあけ合ったりはしなかったから。

つい昨日までは唯一無二の親友みたいな顔をしていた二人組の一方が、翌日になるとほかの仲間と連んでもう一方をしめあげるような光景がめずらしくなかった中学時代である。うっかり秘密など打ちあけたらどう広まるかわからないし、何に利用されるかもわからない。弱みを見せれば足下をすくわれるし、本音をもらせば笑われる。油断はできない。気を抜けない。私はへらへらと毎日を送りながらも常に神経を張っていた。

瑞穂やモンちゃんにしても同じことだ。

瑞穂は少しとろい子で、自分は動物と話ができると公言してはばからない変わり者だった。もしも瑞穂のお姉さんがアヤさんの親友でなかったら、誰も相手にしなかっただろう。ヒロは瑞穂をからかうのが大好きで、「あのスズメは今なんて言った？」「あの犬は？」などと動物を見るたびにちょっかいを出した。瑞穂はうすぼんやりした笑みを浮かべるだけだったけれど、内心では「あのスズメは地球の環境汚染について警告を発しているんだよ」とか、「あの犬は飼い主への恨みつらみを語っているところ」とか、はてしなく変なことを考えていたのかもしれない。

その瑞穂をよくフォローしていたモンちゃんは、気さくでアクのないしっかり者だった。話を誇張しておもしろおかしく話すのが得意で、みんなを笑わせながら彼女自身もけたけたとよく笑った。面倒見もいいので私たち以外にも友達が多く、勉強の成績もそこそこ良かったようだが、そのモンちゃんがなぜ周期的に後輩をトイレに呼びつけて便器に顔を押しこんだり、気に入らないクラスメイトの鞄《かばん》やうわばきを焼却炉に捨てたりしていたのか、私にはまったく見当もつかない話なのだった。

みんなが少しずつ壊れていて、その欠陥を見つめるよりは、騒いでごまかすことに熱心だった。

相手の本心が見えない不安より、うまく繕《つくろ》っている仮面をはがれる恐怖のほうが強かった。

「岸本さん。あなた本当はあの仲間から抜けたいのに、怖くて抜けられないんじゃない？」

大人は皆ワンパターンの思考をするらしく、私は担任の教師からもそんなことを言われたことがあるけれど、当時の私が恐れていたのは仲間から抜けることではなく、あの戦場のような学校で仲間とはぐれることだった。

『だから例の一件にしても、私にはやはり紀ちゃんがお友達につられてあんな事をしてしまったように思えるのです。あの紀ちゃんが万引きだなんて、信じられないもの。尚子もさぞかしショックだったでしょうネ。

物を盗むのは確かにワルい事です。でもネ、この前テレビでやっていたのだけど、今の中学生はなんと全体の三〇パーセントが万引きの経験者なのだそうです。つまり、これは紀ちゃん個人というよりも、中学生全体の問題というワケ。

歪《ゆが》んだ社会の煽《あお》りを受けるのは常に弱者や子供たちなのよネ。今の偏《かたよ》った競争社会に対する怒りや反発を、万引きという手段でしか表現できない子供たちは、ある意味、物質の豊かさばかりを追い求めてきた現代日本の犠牲者なのかもしれません。』

私たち四人の万引きは、純粋に経済的な事情から始まった。

先輩のアパートに入りびたるようになって以来、古参の助言に従ってお酒やスナック の差し入れを続けていた私たちのお小遣いは、まもなく当然のように底をついた。手ぶらで行っても肩身が狭いし、気のせいかみんなの態度も冷たく感じられる。

「しょうがないから万引きしよっか」

ということになったのである。

かつて茅野勇介の万引きを目撃して燃えあがった道義心は、すでに私の中から跡形もなく消えていた。しかも、やってみると万引きとは梅ジャム以上に後を引くもので、一つ成功したらまた次の獲物を……という具合に、私たちは差し入れという目的を超えてエスカレートしていった。

私たちは盗めるものなら何でも、いくらでも盗んだ。戦利品はそっくり先輩のアパートへ持ちこみ、そこにいるみんなと共有した。身につけるものはみんなで身につけ、食べるものはみんなで食べ、飲むものはみんなで飲んだ。使えるものはみんなで使い、遊べるものはみんなで遊び、売れるものは先輩が売ってきた。いらないものはいつのまにか誰かが捨てていた。

高値の品が売れると先輩はその収入でシンナーを買い、それも仲間と共有していたけれど、私たち四人はシンナーにだけは手を出さなかった。それは妄想に耽《ふけ》る彼らの姿があまりにグロテスクだったせいでもあるし、ヒロが「シンナーは歯をぼろぼろにする。差し歯はものすごく高くつく」と強固に反対したからでもある。
ヒロのお父さんは夏山《なつやま》歯科医院の跡取り先生だった。

『それにしても……悪い事って出来ないものネ。デパートでの万引きが見つかった事は、確かに不名誉な事ではありますが、でも私ネ、よくよく考えて思ったのよ。長い目で見れば今回の事は紀ちゃんにとって良かったんじゃないかしら、って。

無責任！　なんて怒らないでネ。あのままだったら紀ちゃんは、いつまでもワルい仲間に誘われるままズルズルと万引きを続けていた気がするのです。最悪の場合、もっと深刻な犯罪にまで手を染めていたかも……なんて思ったら（可能性としてヨ）、ドキドキしてしまったわ。

自己コントロールの難しいあの年頃には、荒療治っていうのかしら、外れてしまった軌道を修正するための転機が必要なのではないかしら。紀ちゃん自身も無意識にそれを待っていた気がしてなりません。良いタイミングでその時が来たのだと思いたいわね。

自分のした事は自分に返ってくる。あの子を泣く泣くデパートまで迎えに行ったあなたは気の毒だったけど、今回の事で少なくともそれだけは紀ちゃんも身に染みて解ったはず。

ところで、ちょっと話は逸れますが……。』

あの日のことは今も忘れない。

底冷えのする三学期の始まり、まだポストに「遅ればせながら」の年賀状が届いていた時期だった。教室には新学期特有のだるい空気があり、くすんだ空には焦げすぎた餅《もち》みたいな雲が浮かんでいた。私たちが午前中だけの短縮授業を終えた頃には雨もぱらつきだしていた。

雨だから、やめればよかったのだ。今日は家庭教師の先生が来るから、と手をふったモンちゃんと一緒におとなしく家へ帰っていればよかった。あるいは先輩のアパートへ。

けれどモンちゃんを除いた私たちは、放課後、暇つぶしに京成駅前のデパートへくりだした。

「瑞穂。おまえ、しくじんなよ」

途中、コンビニで盗んだパンをスーパーの休憩所で食べているあいだ、ヒロは三回くらい瑞穂に念を押した。

「おまえが見張りをしくじったら、捕まんのはうちらなんだから。よそ見してぬいぐるみに話しかけたりしてんなよ」

私たちは通常二人組に分かれ、一組が万引きをしているときはもう一組が見張りをしていた。しかしこの日は三人だったため、実行犯は私とヒロ、瑞穂は一人で見張り、という分担になったのだ。

「うん。だいじょうぶと思う」

「思う、じゃねーだろ」

「じゃあだいじょうぶ」

「じゃあ、じゃねーだろ」

デパートへ着いたのは一時すぎ。デパートといっても以前、春子やクー子と訪れた類《たぐい》の立派な、きらきらした建物ではなく、安っぽい服や仰々《ぎょうぎょう》しいアクセサリーの入り乱れた雑居ビルにすぎなかった。が、その下世話でうらぶれた色調が当時の私にはしっくりきた。私自身、二年前の春休みとはずいぶんちがっていた。

私たちが捕まったのはその四階にある雑貨ショップの店内だ。

しくじったのはやはり瑞穂だった。私とヒロが手にした紙袋にヘアコームやら靴下やらギンガムチェックのお弁当包みやらを次々に忍ばせ、その上からスクールコートをかけて店を出ようとしたときである。

「待って」

ジーンズの上に赤いエプロンをつけた化粧っけのない店員が、ふいに後ろから私の肩を鷲摑《わしづか》みにした。

「その袋の中、ちょっと見せてくんない？」

いざとなったら全力で逃げよう。そう思ってはいたものの、実際にいざとなると体が心を裏切り、私の足は逃げ去るどころかぴくりとも動こうとしなかった。かろうじて首だけを動かすと、見張り役の瑞穂は店先でパンダのぬいぐるみに見入っている。やられた、と思った。パンダじゃねーだろーが、と駆けよってひっぱたいてやりたかった。

けれどそのとき、普段は私よりもずっと気短なヒロが、横から拍子抜けするような声を出したのだ。

「ま、こんなもんか」

ふりむくと、すでに店員に紙袋を預けたヒロは、まさに「ま、こんなもんか」という目であさっての方向をながめていた。

目前で盗品の確認を始めた店員も、傍《かたわ》らですくんでいる私も、私たちに好奇のまなざしをむける客たちも、まだパンダと見つめあっている瑞穂も、ヒロにとってはもう何もかもが過ぎた話みたいだった。

『ところで、ちょっと話は逸れますが……。

尚子は毎月、紀ちゃんや景《けい》ちゃんにどれくらいお小遣いを渡してる？（フト気になったので、参考までに）』

万引きで捕まる。それはとても恥ずかしい、みっともないことだ。みんなに知れたら笑われるし、親は怒って泣くだろう。学校に連絡されたらさらに厄介なことになる。そんな絶体絶命のピンチの下、しかしヒロは終始冷静に私をリードしてくれた。

二人の店員にはさまれて奥の事務室へと連れていかれるあいだ、ヒロは早くも「黙秘権でいくよ」と私に小声で教唆《きようさ》し、実際、事務室で何を訊《き》かれても沈黙を押し通した。

「名前も家の電話番号も言えないって、どういうこと？　あんたたち、自分たちが何をしたかわかってんの？　泥棒よ。ど、ろ、ぼ、う。あんたたち泥棒なのよ！」

赤エプロンの店員はよく見ると小皺《こじわ》が目立ち、若いのはエプロンの色だけで、肌もくすんでいた。そしてその荒れた唇から唾《つば》を飛ばしつつ「泥棒」と五十回くらい連呼するのだが、私は「ブス」や「デブ」では傷ついても、「泥棒」では傷つかない。千回言われても傷つかないのに、なぜそんなこともわからないのかふしぎでならなかった。

最初のうちはこの緊急事態に心臓もばくばくしていたものの、赤エプロンがむきになればなるほど、こちらはしらけて集中力に欠けてくる。私とヒロが生欠伸《なまあくび》を嚙み殺していることに気づくと、赤エプロンは鼻孔をひくつかせながら立ち上がり、休憩中の店長を呼んでくると言い残して退室した。

「ここって万引き多いから、店員もすっかり説教づいちゃってんだよね。きっと店長が来たら制服だけでうちらの学校なんてすぐバレるよ。で、家の電話番号教えなきゃ学校に通報するぞ、ってことになるんじゃん。そしたらしょうがないから家の番号、教えよう。学校に知れたらどのみち家にも連絡されちゃうし」

事務室に二人きりになるなり、ヒロは早口で指示をした。

「万引きは今回が初めて。なんとなくむしゃくしゃしてたから出来心でやっちゃいました、ってことにしとくんだよ。学校で友達とけんかしたとか、先生に注意されたとか、クラスメイトのお金が消えたのを自分のせいにされた、とかさ。いろいろきかれて疲れたら、泣き真似で休もう。うつむいて肩ゆらしてれば泣いてるように見えるから。あとノリ、煙草持ってる？」

「うん」

スクールコートのポケットからキャビンを取りだすと、ヒロはそれを部屋の片隅にあったゴミ箱へ放りこみ、足でぎゅうぎゅうと底のほうに押しやった。

「よし、完璧《かんぺき》」

私はヒロの手際の良さに感嘆した。

「なんかヒロ……慣れてない？」

「そりゃ三回も捕まってれば慣れるっしょ」

「え。じゃあこれって……」

「四回目」

「やばいじゃん！」

「だいじょうぶ。うちの親って万引きとかじゃ怒らないから。迎えに来て、店員に謝って、それでおしまい。そういう段取りが面倒なだけで、家に帰ってからぐちぐち言われたこともないし」

「ふうん。じゃあどんなことで怒るの？　ヒロの親は」

「ヒューマニズムの精神に反すること」

「何それ」

「知んない。でもそういうポリシーなんだってさ」

ヒロの尖《とが》った爪が卓上のリップをはじいた。私とヒロは自分たちの万引きした商品を広げた机の前に座っていた。いったいヒューマニズムとはどんなリズムだろうと考えながらそれらの数々をながめていたら、自分はなぜこんなものを盗んだのかと心底情けなくなってきた。

二枚で五百円のお弁当包みだとか。

四足千円の靴下だとか。

バナナの香りのリップクリームだとか。

どうせ捕まるのならもっと見栄《みば》えのいいものを盗んでおけばよかった。

せめてシルクのスカーフを。レースの手袋を。バラの香りの香水を。この子たちはゴージャスな世界に憧れていたのだと一目でわかるような、そういう、目的がはっきり伝わるような。

「無駄だよね」

そのとき、横からヒロがつぶやいた。

「なんか、無駄。いろんなことが。ぜんぶ」

確かに。

どうでもいいようなものを盗むのも無駄なら、それで捕まって騒がれるのも無駄。赤エプロンの唾も説教もぜんぶ無駄。うちの親が泣いても怒っても無駄だし、ヒロの親のヒューマニズムだってたぶん無駄。夜遊びも、飲酒も、喫煙も、さぼってばかりの学校も、上《うわ》っ面《つら》だけの友達関係も、私の十四歳は無駄だらけだ……。

「泣いたって、無駄」

ヒロにささやかれ、私は自分が涙ぐんでいることに気がついた。

『少々脱線しましたが（失礼）、尚子がデパートへ迎えに行った時、紀ちゃんは赤い目をしてうなだれていたそうですネ。きっと紀ちゃん、目が覚めたのよ。ようやく自分のした事の重大さに気付き、悪い夢から覚めた思いだったのでしょう。

家に帰ってから尚子や保明さんが紀ちゃんをきつく叱《しか》ったのは当然の事。泣きながら紀ちゃんの頰《ほお》を叩《たた》いたというあなたの話に、その時のあなたの痛みを思って、私まで鼻がツンとしちゃいました。保明さんもようやく事の重大さを認識したのでは……。

確かにあなたの言う通り、あなたと保明さんはこれまで紀ちゃんから逃げていたのかもしれません。何を言っても反抗心を煽るだけで、全く話が嚙み合わない。逸美のときは私も同じ歯痒《はがゆ》さを味わっているので気持ちはわかりますが、紀ちゃんは放っておかれて寂しかったのかもしれないわネ。親は様子を見ているつもりでも、子供は見捨てられたと思い込む。うまくいかないものです。

今はまだ、そう急に素直にはなれないでしょうが、今回の一件で紀ちゃんにもきっと尚子や保明さんの真意が伝わったはず。

大人ぶって見せても、所詮《しょせん》は子供。

あの子にはまだまだ親が必要なのよネ。』

幸い学校へは通報されずにすんだものの、血相を変えて迎えにきた母に連れられて家に帰ったあの夜、私は両親から長い長い説教を受けて辟易《へきえき》した。それでも反抗せずにじっとしていたのは、反抗も無駄、という無常観にとりつかれていたからだ。父はひとしきり社会のルールや良識について論じると、おもむろに学生時代熱中していた卓球の話を始め、「紀子がどれだけ多くのものを盗んでも、地区大会の決勝で俺がスマッシュを決めたあの瞬間のような満足感は得られないだろう」としめくくった。一生自慢してろよ、ジジイ、と思った。

あの万引き騒動がただ一つ無駄ではないものを生んだとするならば、それはあれを機に私とヒロが一歩踏みこんだつきあいをするようになったことだ。

いつも瑞穂をからかってばかりのヒロが、翌日の学校で泣きながら謝罪する瑞穂を責めもせずに許した。あれ以来、私はヒロに少しずつ心を開くようになり、ヒロもまた私に本音をのぞかせはじめた。そうして二人でいる時間が長く、楽しくなればなるほど、私たちの足は先輩のアパートから遠のいていった。

先輩と別れたアヤさんが姿を見せなくなったあたりから潮時とは感じていた。入れ替わりの激しい常連たちとの場当たり的なつきあいにも疲れて、私たちは自分たちの盗んだ品々を共有しているというよりは、搾取《さくしゅ》されている気分になりかけていた。損得勘定は往々にして関係の末期《まつご》を物語る。

決定的な契機となったのは、二月の頭。怒りを感じるほど寒い夜で、地面一面にうっすらと白い膜が張り、にもかかわらず先輩たちは暴走族の集会へと出払っていた。

私とヒロはいわば留守番役。二人して隙間風に震えながら一つの布団へもぐりこみ、冷凍エビのように丸まって、ストーブもない部屋の酷寒を凌《しの》いだ。

深夜零時をまわっても、震えが止まらず眠れない。私が右足と左足の足の裏をすりあわせていると、とうに眠ったと思っていたヒロがふいに口を開いた。

「ね。ノリ」

「ん」

「茅野のこと、好き？」

「え」

ぎっくりした。

「なんで」

「だってノリ、茅野が近くにいると声が高くなるから」

「…………」

「いつも茅野のこと見てるし。ちがう？」

小学生の頃にはよくある会話だった。誰が一番好きとか、誰が二番目に好きとか、一緒に動物園へ行くなら誰がいいとか。でも今、その種の秘め事は厳重に巡らされたバリアの奥にあって、そこから取りだして見せるのは勇気がいった。

相手がヒロでなかったら、私はバリアを解かなかっただろう。

「好き……かも」

「やっぱり」

ヒロはくるりと寝返りを打って、私の耳元に唇をよせた。

「あたしが好きなのは、楠田《くすだ》先輩」

「えっ」

楠田先輩はバレーボール部のキャプテンを務める色白の二枚目だ。笑うと白い歯が光るさわやかスポーツマンで、この手のタイプをヒロが好きになるとは意外だった。

「楠田先輩かー」

「茅野かー」

私たちは微妙に目線をずらしあったままニヤついた。ひとたび腹を割ってみると、なんだかすっきりと晴れやかな心地で、これまで胸に秘めてきたぶんまで無性に、猛烈に自分の恋を語りたくなってくる。

「好きっていっても、あたしの場合、茅野とつきあいたいとかじゃないんだよね。このままでいいっていうか」

「へえ。じゃあノリ、茅野に彼女がいてもいいわけ？」

「うーん。だって茅野ってころころ彼女代えるじゃん。平気で二股《ふたまた》かけるし、あたしもその中の一人になるくらいなら見てたほうがいいっていうか……」

「まあね。あいつ、いい奴だけど女癖悪いから」

「今は友達のままでいい。茅野といると楽しいし、なんか、誰よりもあたしのことわかってくれる気がするんだよね」

「ふうん。あたしはさ、最初、楠田先輩の歯並びにくらっときたわけよ」

「歯並び？」

「あんなに完璧な歯はそうそう転がってないね。で、注目してるうちに、だんだん口の周りも気になってきたっていうか、興味の幅が広がってきたっていうか……。人の顔や性格は変わってくもんだけど、歯はそうそう変わんないじゃん。だから信用できるっていうか」

「告白しないの？」

「ライバル多いからさ。でも最近、廊下で楠田先輩とすれちがうたびに、先輩もあたしのこと見てる気がするんだよなー」

恐らくこの頃、楠田ファンは誰でも「廊下ですれちがうとき、先輩は自分を見てる気がする」と思っていただろうし、茅野勇介に群がる女子のほとんどが「茅野といると楽しいし、誰より自分をわかってくれてる気がする」と思っていただろう。

私たちは時の経過も忘れて互いの恋話に熱中し、熱中しすぎてそのとき、自分たちへと忍びよっていた不審な足音にも気がつかなかった。

冷たい。

開かれた玄関から吹きこむ風を感じたときには、もうすでに足音がすぐそこまで迫っていた。先輩のアパートには不特定多数の輩《やから》が出入りするので鍵は閉めていない。一気に踏みこんできた侵入者たちに警戒する間もなく、私とヒロは暗闇《くらやみ》の中で誰かの足に顔を踏まれていた。

「イタッ」

「あ……失礼」

「誰？」

慌てて飛び起き、電気のスイッチを入れると、切れかけた蛍光灯に照らしだされたのは立派なスーツを着込んだ二人のおじさんだった。一人は四角い眼鏡をかけ、もう一人は顔自体が四角い輪郭をしている。

「失礼しました」

愕然《がくぜん》としていた私たちに、四角い顔のほうが丁重に一礼して言った。

「私は自衛隊の若崎《わかさき》という者ですが、うちの坪井《つぼい》克哉《かつや》がこちらへお邪魔していませんでしょうか」

私とヒロは顔を見合わせた。

いた。確かに坪井克哉という男がしばらくここに住みついていた。「ある組織から逃げてきた。命の尊さを知っているのなら、頼む、かくまってくれ」と言うのでかくまっていたのだが、ある組織とは自衛隊のことだったのか。数日前、「追っ手が迫ったから亡命する」と去っていった彼の思わせぶりな態度をふりかえり、なにが亡命だよ、と私はあきれかえった。

「坪井克哉はいません」

ヒロもため息まじりに四角い顔へ言った。

「この前まではいたけど、もういません」

「どこへ行ったかご存じありませんか」

「知りません」

「では念のため、確認だけさせてもらいますね」

仏頂面の私たちを尻目に、彼らは押入やらトイレやらを手際よく調べていく。六畳一間の捜索はものの三分で完了し、坪井克哉がいないことを認めた二人は「夜分に失礼しました」と何事もなかったように退室した。

彼らの去った室内には玄関から流れこんだ夜風と、立ちつくす私たちの憤《いきどお》りだけが残された。

さっきまでの円《まろ》やかな気分は失せ、粗暴な四角に自分たちの恋まで踏みつけられた気がした。

「帰ろっか」

先に声を出したのはヒロだった。

「ノリもうちにおいでよ」

「いいの？ こんな時間に」

「ヒューマニズムの精神には反してなさそうじゃん」

私は拾われた子猫みたいにうなずき、ヒロと一緒に荷物をまとめながら、もうここへは来ないだろうとぼんやり思った。とうとう最後まで、先輩が誰の先輩だかわからなかったなー、と……。


『このところ紀ちゃんの外泊が減っているのは、あの子なりに少しずつあなた方へ心を開き始めた証拠ネ。これを機にワルい仲間とも縁が切れればいいのだけど……。

友達が変われば環境も変わるし、環境が変われば人間も変わる。中学生にとって一番の悲劇は、自分自身の力で環境を変える事ができない点かもしれないわネ。

無論、家庭という環境の操作は親次第。このところ尚子の肚《はら》が据わってきた事も、紀ちゃんに良い影響を与えているのではないかしら。親が不安定だと子供も不安定になるものだって、私も逸美のとき、すがるような思いで行った相談センターの方に言われたものです。

親は子供の鑑《かがみ》（イタタ！）。母親なんて本当に割りに合わない商売だけど、その分子供から学ぶものも大きいはず。

まだしばらくは我慢の時かもしれませんが、思春期という暗く長いトンネルは確実に出口へと近づいています。紀ちゃん自身、そこから抜けだそうと今、必死でもがいているのだと思うわ。黙って見守るべき時と手を差しのべるべき時と、その見極めが難しいところですが、どうか尚子もあと少し、紀ちゃんが迷わないように出口から精一杯の光を送ってあげて下さい。

大丈夫。本当にワルい子は、万引きどころか親のいない隙に家のお金を漁《あさ》ったりするそうだもの。親のお金にまで手を出したらもうお仕舞《しま》いよネ。靴下なんか盗んでるうちはまだまだ可愛いものじゃない。ナンテ言ったら保明さんに怒られちゃうかしら。

アラ、大変。そろそろウチの人が帰ってくる時間です。

また何かあったらいつでもお便り下さい。

保明さんに宜しくネ。

悦子』

自分が何をやりたいのかわからず、自分が何をやっているのかもわからず、ただ流れるがままに流されて終わった中学二年生。

その最後に愚かしいエピソードをもうひとつだけ加えると、二月の頭に私はヒロと連れだってバレンタインのチョコを買いに行く約束をした。ヒロは楠田先輩に告白すると意気込んでいたものの、私には二人も彼女のいる茅野勇介の三号になる気はなく、義理チョコくらいなら買ってもいいかなという程度だった。

考えてみると、お金を払って何かを買うのは久しぶりだった。

とはいえ、二股男への義理チョコに貴重な現金をはたくのはもったいない。

ある夕方、私は母の外出中に居間の引きだしから一通の手紙を発見したのだが、それを読んでなんともいえないバツの悪さを感じたのは、大人から見た自分とここにいる自分との間に太陽系ほどの開きがあるのを知ったせいだけではなく、私がそのとき、義理チョコの資金をくすねるために引きだしを漁っていたからでもあった。

第六章　時の雨

雪上を駆ける橇《そり》のように白雲をかすめていた翼が、にわかに揺らめいて機体が前傾した。翼の上で躍っていた光もそれに倣《なら》って反射の角度を変え、小さな、はりぼてみたいな窓から私を照らしていたイエローが鈍いクリームにぼやける。

「本機はただ今より着陸態勢に入りました。お座席を元の位置へお戻しになり、シートベルトをご確認下さい」

機内に流れるアナウンスをききながら、私は隣席でシートベルトをまさぐっている母を一瞥《いちべつ》し、いっそハイジャックでもされて羽田へUターンしないもんだろうか……とこの日、何度目かの深いため息を吐きだした。

大分県別府《べっぷ》温泉二泊三日の旅。

小学六年生の夏以来の家族旅行。

ここ二年ほどは旅行どころか家族の顔を見るのも避けていた私が、家族旅行なんてシュールな話についつい乗ってしまったのには、二つの理由がある。

一つは、ためらう余地も時間もないほど、この旅行が唐突に計画されたからだ。このところ連休になど縁のなかった父が、「来週の金、土、日に三連休を取れそうだ」と突如、宣言したのが十一月の半ば。この好機を逃す手はないと、急遽《きゅうきょ》、温泉旅行の話が持ちあがったらしい。何も知らない私もいつのまにか同行者リストに名を連ねていた。

二つめは、その計画を私に告げた姉の勧誘がじつに巧みだったことだ。姉はまず大分の関《せき》サバと関アジがいかに有名か、いかに多くの美食家たちをうならせてきたかを懇々と語り、無名のサバやアジがきいたら気を悪くしかねないほどに絶賛した。続いて別府温泉にスポットを当て、その由緒正しき泉質、多岐にわたる効能、露天風呂の醍醐味《だいごみ》などを熱弁したあげく、「この温泉の絶大なるリラックス効果を求めて、今日も全国各地から続々と受験生が押しよせている」としめくくった。

大学受験を控えていた姉と同様、私はその頃、中三の受験生だった。中一のある時期から始まった暴走もようやく勢いを弱めつつあって、私はある意味では柔軟に、ある意味では軟弱になっていたのだろう。関サバ関アジ。温泉でリラックス。うーん、いいかも、と単純に思ってしまったのだ。私一人の反対でこの旅行がお流れになるのも後味が悪いし、ここは一つ大人になってつきあってやるか、と。

しかし、私がどんなに大人になった気でいても、実際に荷物をまとめて出発という段になると、やはり家族旅行における私の位置付けはまったくの「子供」なのだった。しかも、馬やボートや飛行機に乗って喜ぶ年頃を過ぎた子供にとって、家族旅行とはなんとも面映《おもは》ゆい、空々しいものである。

家から羽田空港までの二時間半、私は極力家族と距離を置き、ぶらり気ままな一人旅のようにふるまっていたけれど、改札の手前で父から切符を渡されるたび、公衆の面前で敗北を申し渡されたような屈辱を覚えた。電車のシートを抜け目なく確保した母が、他人のふりをしている私に「やっぱり、もう一つ厚めのオーバーにしとけばよかったわねえ」などと声をかけてくるたび、その口をアロンアルファで瞬間接着させてやりたい衝動に駆られた。

ただでさえ、平日の車内はスーツで武装した会社員やＯＬばかりで、私たち親子だけが無防備な生活臭をまきちらしている気がする。私は次第に早足になり、逃げるようにそそくさと家族の前を行っては、時折そろりと後ろをふりかえった。

背中に垂らしたリュックのほかにもう一つ、自意識という厄介な荷物を抱えていた私が、羽田についた時点ですでにくたくたになっていたのは言うまでもない。ここがゴールではなくまだスタート地点であり、これから二泊三日の旅行が始まるだなんて、まるで悪趣味な罰ゲームのようだった。

早くも暗澹《あんたん》としていた私に追いうちをかけたのは、飛行機の席順だ。旅行中に二人掛けの席につくとき、我が家では決まって父と母が、姉と私がとなりあっていた。ところがこの日、機内に通された私がいち早く窓際を占拠すると、となりの通路側に母がするりと腰を滑らせてきたのだ。

「あれ、なんで？」

私が抗議の声を上げても、母はそしらぬ顔で前座席のポケットを探っている。後ろをふりかえると、父もまた姉のとなりで平然とスポーツ紙を広げていた。

何かおかしい。

この小さな違和感が私の猜疑心《さいぎしん》に火をつけた。

考えてみれば、いくら父が久々の連休を取ったとはいえ、私と姉に金曜日の学校を休ませてまで温泉へ行こうだなんて、あの生《き》まじめな母が考えるだろうか。もしも考えるとしたら、そこにはそれ相応の目的というか、魂胆《こんたん》がひそんでいるのではないか。たとえば、この旅行中に家族の絆《きずな》を深めよう、とか。非行に走った娘の心を溶かそう、とか。湯煙の中で母子の再出発を誓いあおう、とか――。

かゆい。

お尻の下が急にむずがゆくなり、私はダッシュでその場から逃げだしたくなったけど、すでに体はシートベルトで固定され、しかも飛行機はもう雲の上なのだった。

着陸態勢に入ってから十数分後、私たちを乗せた飛行機はぶじ大分空港へと到着した。

分厚いコートなんて着てこなくて良かった、というのが搭乗ステップから一歩、足を降ろした感想だ。十二月下旬並みの冷えこみが続く関東とはちがい、大分にはまだ初秋のような暖気が残っていた。太陽の光線が強く、色鮮やかで、スモッグなどの遮蔽物《しゃへいぶつ》もなしにダイレクトに空から降ってくる気がする。

事前に手配していたレンタカーに乗りこんだ私たちは、そのダイレクト光線にきらめく山林や田園風景をながめながら、一路、別府へと出発した。

途中、道路沿いの蕎麦屋《そばや》で軽い昼食をとっていると、私たちの会話に耳を傾けていた店員のおばさんが声をかけてきた。

「今日はご家族で、東京から？」

こんなとき、母は決まって「ええ、東京のほうから……」と語尾を濁し、父は「いえいえ、千葉の外れですよ」と明答する。そしてその後、「また余計なことを」「見栄《みえ》を張ってどうする」云々《うんぬん》の諍《いさか》いに発展するのだが、この日の母はめずらしく父をとがめようとしなかった。

家族愛のためだ、と私は思った。家族の再出発に夫婦げんかは禁物なのだ。腹黒い策略なのだ。

こんな手には乗るものか。

しかし、父と母がいつもとちがったのはそれだけではなかった。チェックインにはまだ早いからと立ちよった湯の里や海地獄でも、二人はいつにない遠慮深さ——よそよそしさとも取れる距離を置き続けたのだ。

湯の里は別府から車で二十分ほどの明礬《みょうばん》温泉にある。明礬の象徴といわれる藁葺《わらぶ》きの湯の花小屋が連なり、その方々から煙を噴きあげて湯の花を作っている。

「湯の花ってのは、地表に噴きだす硫化ガスを結晶化させたものなんだ。風呂に入れると血行にいいっていうんで、入浴剤として重宝されてるわけだな」

父がうんちくを並べても、耳を傾けているのは姉だけで、母は終始そっぽをむいていた。

「温泉たまご、食べていく？」

などと母が口を開くとき、その相手は父ではなく、姉か私だった。

硫酸鉄がお湯をミント色に染める海地獄では、母の態度はより露骨になり、姉が入道雲のような湯煙を背景に父と母のツーショットを撮ろうとカメラを構えたところ、あからさまに背をむけてシャッターを拒んだ。家族写真なんてダサすぎる、と私も頑《がん》としてカメラを避けていたから、結果的にこの日、写真に収まったのは〈父と姉〉〈母と姉〉の組み合わせだけだった。

どうやらこの一連のふるまいは、家族愛のためではなさそうだ。

というか、家族愛どころではなさそうだ。

この段になるとさすがに私も異変を察し、父と母のあいだに何かがあったことを確信したけれど、実際に何があったのかを知ったのは宿に着いてからだった。

ホテル三楽は創業六十年の伝統ある老舗《しにせ》で、別の言い方をすれば、さびれたおんぼろホテルだった。かつてはカモメのような白を誇っていたはずの外壁も、今では六十年分の鳩《はと》の糞《ふん》にまみれている。

とはいえ、一歩なかに入ると内装は思いのほかモダンで、従業員も小綺麗《こぎれい》で愛想が良く、少なくとも清潔なホテルではあるようだった。和風の客室も月並みな造りながら隅々まで手入れが行き届いていて、野花を添えた一輪挿しがなにげなく壁に掛かっているのも趣《おもむき》があり、潔癖症の母のお眼鏡にもかなったようである。部屋は五階で海を正面にしているため、窓を開ければ磯の香りや波音とともに「遠くへ来たのだ」という実感が胸に迫ってくるのもいい。

夕食前に入った十階の展望大浴場では、一面ガラス張りの窓からパノラマの海を見渡せた。

一瞬、夕日と見まがうほどに大きな、赤い月をにじませた別府湾。刻々と闇《やみ》に埋もれていく海の舟明かりが、催眠術師の揺らす五円玉のように私をまどろませ、湯に抱かれた皮膚だけでなく体の芯《しん》までもとろかしていく。

「見た目はナンだけど、中にいる分にはいいホテルねえ」

父のいない浴場では母の表情もやわらかく、べつに大したことではないのかもしれない、どうせ些細《ささい》な夫婦げんかなのだ、と私もこのときはまだ事態を楽観していた。

「今夜、ごはん食べたらゲームコーナーに行くよ」

長風呂の母を残して脱衣所へ戻った私に、後からついてきた姉がそんな指令を出すまでは。

「ゲームコーナー？」

「言っとくけど、ゲームはしないから」

姉は両親の前では見せなかった険しい表情で言った。

「お父さんとお母さんのことで大事な話があるの」

大事な話があるの。

姉の声が胸に引っかかっていたせいか、私は夕食のあいだじゅう落ちつかず、ちらちらと壁の時計ばかりを気にしていた。

前菜。刺身。椀《わん》物。焼き物。煮物。固形燃料付きの小鍋。お新香。ホテルの仲居さんが運んでくる料理はどれも似たりよったりの醤油《しょうゆ》味ばかりで、待望の関サバ関アジは一向に姿を現さず、私の箸《はし》の勢いをそいだ。しかもこの時間のかかる懐石料理は私にとって本当に、本当に久しぶりの家族との食事だった。一家四人で囲む食卓。いったいそれがどんなふうだったのか、今となっては見当もつかない。

しかたなく私はだんまりを決めこみ、鬼ごっこにおけるマメのようにそこにいた。ビールでほろ酔い加減の父も、母の目にはマメのように映っているらしい。ただ一人、姉だけが二人のあいだで通訳さながらに奮闘していたものの、所詮《しょせん》会話は〈父↕姉↕母〉の図式を外れることなく、そのいびつさが卓上の皿数とともに私たち一家を威圧していった。

食が進むわけもない。

「ごちそうさま。ちょっと紀ちゃんとゲームしてくるから」

一向に減らない皿に業を煮やしたのか、姉が強引にピリオドを打って中座したときには、救われた思いがした。

「あら、ゲーム？　紀子も？」

何か言いたげな母が実際に何かを言いだす前に、私は大量の料理を残して姉の後を追った。

夕食時のせいか、あるいはもともと客が少ないのか、夜のホテルはすれちがう人影もなくひっそりとしていた。海老色《えびいろ》の絨毯《じゅうたん》を敷きつめた一階のロビーでは、浴衣《ゆかた》姿のおじさんが一人、テレビ前のソファから私たちの足取りを気にしていた。私と姉はおじさんから距離を置いた片隅のソファに向かい合って座った。私たちの関心がテレビにないことがわかると、おじさんは安堵《あんど》の面持ちで画面にむきなおった。

「お父さんね」

と、姉は無駄のない話の切りだしかたをした。

「浮気してたみたい」

「え。浮気?」

「そう」

「うそ」

「ほんと」

「うそ」

「ほんと」

「う……」

自信みなぎる姉のまなざしに、私は三度目の「うそ」を呑《の》みこんだ。

お父さんが浮気？

うっそー！

もしもこれが二十歳かそこらの時だったら、浮気＝セックスと瞬時に連想し、なんて汚《けが》らわしい、と父を嫌悪したかもしれない。けれど私はまだ十五歳で、ベッド上の生々しいディテールを描くには早すぎた。当時の私にとって浮気とはあくまで「妻を実家へ帰らせる非道なこと」というような観念であり、なのにその観念と父とがどうしてもうまく重ならないのだった。

「相手は何者か知らないけど、お母さんが証拠を見つけちゃったみたい。一ヶ月くらい前かな。紀ちゃんはあんまり家にいないし、いても部屋から出てこないから知らないだろうけど、お母さん、それからお父さんと一言も口きいてないんだよ。かなり頭にきてるみたいで、一時は本気で別れるつもりだったんだから。離婚後の身のふりかたを相談する手紙とか、悦子おばちゃんに書いてるの」

「離婚？」

さっきまで一緒にいた両親と、離婚という言葉がやはり重ならない。頭で理解するよりも先に、湯あがりのほてった体のほうから冷えていくようだった。

「お姉ちゃん」

私はとっさに子供のような声を上げていた。

「どうしよう、離婚なんてしたら」

「どうするって、そんな、まだわからないよ、そんなの」

動揺は感染する。姉は一瞬ぐらつき、慌てて自分を立て直した。

「だけどまあ、今のところはお母さんも思い留まってるみたいだよ。もっと慎重に考えるようにって悦子おばちゃんから説得されたみたい。問題は、お父さんだね」

「お父さん？」

「浮気相手とは別れたみたいだけど、いまいち事の重大さを自覚してないっていうか、認識が甘いっていうか……。ほら、お父さんもあんたと一緒であんまり家にいないから、お母さんがどれだけ怒ってるのかぴんときてないと思うんだよね。もともとのんきで、鈍いとこあるし」

「ああ」

確かに父はのんきで、あきれるほどに鈍いところがある。私が先輩のアパートに入り浸っていた頃も、時に小言を言うことはあってもいまいち切迫感に乏しかったし、例の万引き発覚事件の夜にはさすがに顔色を変えていたものの、「父さんだって欲しいものはあるけど、なんとか小遣いの範囲でやりくりしてるんだ！」などと、基本はのんきだった。そのぶん母はいつも一人で神経を尖《とが》らせてきたのだ。その上、浮気まででされたら確かにたまったものではない。

「お母さん、相当怒ってるよ、このままじゃやばいよって私、何度もお父さんに警告したの。でもお父さん、そりゃあコワイコワイ、なんて笑ってるだけで……」

「うん、うん」

いかにもそういう反応をしそうな父なのだった。

「お父さんが平然としてればしてるほど、お母さんはますますムカついていくわけじゃない。このままだと永遠にお父さんと口きそうにないし、そんなことしてたら本当にいつか手遅れになりかねないでしょ」

で、と姉は声のトーンを上げた。

「そこで今回の旅行なわけよ」

「は？」

「この旅行、発起人は私なの。お父さんが連休取れるってきいたとき、チャンスってひらめいてね。すかさず提案してお母さん説得して……。二泊三日も一緒にいれば、お父さんだってさすがにお母さんが心の底から徹底的にとことん怒ってるってこと、思い知るでしょ。大体、普段はお父さん残業ばっかりで、あれじゃ仲直りする暇もないし。そういう意味でもこの旅行に私、賭《か》けてるんだ」

「つまり……」

思わぬ展開にとまどいながらも、私はなんとか姉の話についていこうとした。

「つまりこれは、お父さんとお母さんの夫婦愛を復活させるための旅行なわけ？」

「そこまで大層なもんでもないけどね。まずはお母さんが本気で怒ってることをお父さんに知らしめる。それから二人を和解させる。この二つがメインかな」

姉はユーモアの欠片《かけら》も含まずにそう言い、「別府はね」と、ふいに大人びた目を見せた。

「別府温泉は二十一年前、お父さんとお母さんが新婚旅行で訪れたところなんだよ。当時は九州が新婚旅行のメッカで、今でいうハワイみたいなものだったんだって。そのときのこと、二人が思い出してくれればいいなって、私がここに決めたの」

「…………」

知らなかった。関サバ関アジ別府温泉と熱弁をふるっていた姉が、この旅にそんな奥深いテーマを忍ばせていたなんて。二十一年前にも父と母がこの土地を訪ねていたなんて。そして二十一年後の今、離婚の危機を抱えて再びここにいたなんて……。

絶句する私の横を社員旅行風の団体客がにぎやかに通りすぎていった。いつのまにかテレビの音は消え、おじさんの姿も消えている。団体客が玄関を抜けて静けさが戻ると、姉は浴衣の袖《そで》からドナルドダックの腕時計をのぞかせ、「三十分、経ったね」とつぶやいた。

「紀ちゃんにも一応、この旅行の趣旨を伝えておこうと思ってね。それに、少しは覚悟もしといたほうがいいかもしれないし」

「覚悟?」

「馬を水飲み場へ連れて行くことはできても、むりやり水を飲ませることはできないからさ」

「なにそれ」

「私にできるのはセッティングまでってこと。とりあえず今日は、あと三十分、お父さんとお母さんを二人きりにしておくよ」

そう言うなり、姉は心底くたびれたように瞼《まぶた》を降ろし、その奥の眼球を人差し指で揉《も》みほぐした。


家族なんていらない。両親なんてうざったいだけ。一人きりになれたらどんなにすっきりするだろう。

ずっとそう思っていた。昨日までは。いや、ついさっきまでは。

なのに実際、離婚という一語を目の前にすると、まるで暗幕に未来を塞《ふさ》がれたような息苦しさに襲われるのはなぜだろう。

底知れぬ畏《おそ》れと、底なしの不安感。私は一家離散後のシチュエーションをあれこれと想定し、「母についた場合、高校へは行けるのだろうか」「お小遣いは減らないのか」「父についた場合、誰がゴミを出すのか」などと細部にわたって検討した。そうして具体的な心配事を並べているほうが、漠然とした不安に怯《おび》えているよりもまだ気が休まった。

母は姉を頼りにしているから、私はたぶん父につくことになるだろう。父娘の暮らしはすさみ、父はまもなく再婚するのだが、私は継母《ままはは》とそりが合わずに家を飛びだすことになる。そして場末の温泉旅館で住みこみの仕事を始めるものの、その働きぶりを見初《みそ》めた若旦那《わかだんな》に求愛されたがために女将《おかみ》の逆鱗《げきりん》に触れ、「よくもうちの跡取り息子をたぶらかして！」と着の身着のままで寒空の下へ放りだされるのだ。肺炎を起こして病院へ担ぎこまれた私を若旦那が迎えにきて駆け落ちを誓いあったところで、三十分が経ったらしく姉が目を開いた。

「戻ろっか」

「うん」

二人で部屋へ引き返し、〈５０４〉のプレートが付いたドアの前で耳をそばだてる。父と母が話をしている気配はなく、きこえてくるのは父の鼻歌だけ。

「お父さん、歌ってるよ」

「歌ってる、歌ってる」

悪い予感がした。

ドアを開けるとあんのじょう、父は窓辺で手酌をしながら『浪花節《なにわぶし》だよ人生は』をハミングしているところで、母はすでに明かりの消えた和室で寝入っていた。窓辺から最も離れた廊下側の布団で、父に背中と足の裏をむけて。

「よ、おかえり。ゲームは楽しかったか」

はたして父はいつになったら事の深刻さに気づくのだろうか。

たとえ気づいたとしても、残りの旅行中に母との和解までこぎつけられるのか。

酔った父の赤ら顔から察するに見通しは暗く、そのせいか姉は仏頂面《ぶっちょうづら》で洗顔と歯磨きを済ませると、さっさと母のとなりの布団へもぐりこんでしまった。父と二人きりにされても困るので、私も慌てて姉のとなりの布団に入った。

その夜はなかなか寝つかれなかった。

両親が派手なけんかをした夜、明日には仲直りしていますように、すべてが元に戻っていますようにと祈りながら寝た幼い日のことを、冷たい布団の中で久々に思い返していた。

二日目は朝から耶馬溪《やばけい》という景勝地を巡り、どこかのお坊さんがノミと槌《つち》だけで掘りぬいたという洞門をくぐったり、紅葉に彩られた岩峰を仰いだりと観光にいそしんだ。が、どこへ行っても私たち一家の表情は重く、カメラに収まるのも依然として

〈父と姉〉〈母と姉〉の組み合わせだけ。まったく歩みよる兆《きざ》しのない両親を見ていると、私は昨夜、姉の口にした言葉の意味をいやでも思い知らされた。

馬を水飲み場へ連れて行くことはできても、むりやり水を飲ませることはできない。

確かに。一頭は頑として水を拒んでいるし、一頭は喉《のど》が渇いていることにも気づいていない。

いっそ後ろから水中へ蹴《け》り倒してやりたいと焦《じ》れながらも、実際、私にできたのはそんな両親をただやきもきとながめているだけだった。今日もまたせっせと場を和《なご》ませている姉とはちがって、こちらは昨日まで「どうでもいいじゃん」と「関係ないじゃん」を連発していた娘である。なかなか水を飲まない両親に歩みよろうにも、私には水面に映る自分の姿ばかりが気になるのだ。

静まり返っていた水面に小さな波紋が生じたのは、昼食時だった。

まるで父などそこにいないように、二十一年前からずっといなかったようにふるまっていた母が、ついに小さなミスをした。耶馬渓の休憩所で郷土料理のだんご汁をすすっていたときだ。

こっぴどくひねりつぶしたうどんのような麺《めん》を黙々と嚙みしめていた母が、おもむろにぽつりとつぶやいた。

「この辺もずいぶん変わったけど、この味は変わらないわねえ」

独りごとである。けれど母は言ってからすぐ取り返しのつかないものでもこぼしたように口を押さえた。

「ああ」

父の口許《くちもと》に「してやったり」という笑みが広がる。

「そうだな。この味は変わらないな」

母が渋面で押し黙るのを見て、すかさず姉が口をはさんだ。

「お母さん、二十一年前もこのおだんご汁、食べたの？」

「だんご汁よ」

「そう、だんご汁。食べたの？　二十一年前」

「まあねえ」

「じゃあ、懐かしい？」

「え」

「その頃のこと、思い出して懐かしい？」

「さあねえ」

母は鼻の頭に浮いた汗をハンカチで押さえ、あさっての方向へ視線を泳がせた。視線の先には朽ちかけた窓の桟《さん》があり、金の粉をかぶった蠅《はえ》が一匹とまっていた。前足をよじりながらその蠅が飛び立ったとき、私は金の粉が窓からの陽射しであったことを知り、ハッとした。思わず「あ」と声に出したほどだ。みんなの耳には母の「さあねえ」と私の「あ」が、永遠につながらない二つの音として残るのだろう。

休憩所を出ると、天頂からの陽が万物のすべてに惜しげもなく金の粉をふりまいていた。まったく、私たち一家にはもったいないほどの行楽日和《びより》だった。これだけの好天だと早々に宿へ帰るのも気が引けて、午後はアフリカンサファリへ赴くことになった。

家族四人、とくに会話もなしにぎくしゃくと連れ立っていると、どんな観光スポットもさらさらと流れるように通りすぎてしまう。黙って窓の外をながめていればいいドライブ中が一番落ちつくほどで、そうした意味でも車でまわれるアフリカンサファリは適切といえた。

「ねえ、お母さんたち、二十一年前もここに来たの？」

象やキリンを窓から望みながら、助手席の姉はここでも根気強く会話をつないでいた。

「さあ、そうねえ。来たのかしらねえ」

「じゃあ、懐かしい？」

「さあねえ」

「ね、二十一年ぶりにライオンに会って懐かしいんじゃない？」

「どうかしらねえ」

母がまのびした声を出しているうちにライオンは遠ざかり、孤高の殺し屋といった貫禄《かんろく》の漂う虎のゾーンも過ぎると、サファリはもう終点で、父は車を停めて私たちをあるところへ案内した。

今では〈であいの村〉と改名されているペットコーナー。フェンスの中にはヤギやウサギ、アライグマなどの小動物がいて、両親に見守られた子供たちが恐怖心と好奇心の狭間《はざま》で揺らめきながら手を伸ばしたり、餌《えさ》を与えたりしている。どうやらここには我が家に欠落中の家族愛が、シカの糞のようにお気軽に、そこかしこに転がっているらしい。私たちはそれを半ば物欲しげに、半ばうさんくさげにながめながら、そのちっぽけなコーナーをそれこそ瞬《また》く間にまわり終えた。

父の誤算は、私たち姉妹が小動物との対面で揺らめく時代を過ぎていたことと、母が動物臭を嫌うのを失念していたことだ。わざわざそこへ足を運んだ収穫があったとしたら、それはこれまで二通りしかなかった写真の組み合わせに、〈母とロバと姉〉〈ブタと父と姉〉〈ウサギと母と姉とひよこ〉などが加わったことくらいだろう。

車に戻る前、私は売店でヒロへのお土産《みやげ》を買った。小さなライオンのマスコットがついたキーホルダー。たてがみのふわふわしたところが気に入って、自分のぶんもおそろいで買った。

二つのキーホルダーを大事にリュックへしまいながら、もしもこのままうちの両親が離婚をしたら、ヒロの家の養女にしてもらえないかな……と、ふと思いついた。あそこのお父さんは歯医者でお金持ちだし、ヒロとならうまくやっていけそうな気がする。養女がだめならお手伝いさんでもいい。そうだ、コメットさんのようにドジでも愛されるお手伝いさんになるのだと、私はホテル三楽への帰り道、父と母の冷たい沈黙に不安になるたびにリュックの中へ手を伸ばし、キーホルダーの袋をきゅっと握りしめた。

雲一つなかった空がふいに暗くなり、何が起こるのかと思ったら、俄雨《にわかあめ》が降りだした。

雨は数億の矢のように海を襲い、波があちこちに白旗を打ち上げる。水しぶきに煙る荒海の、変に美しいブルーグレイ――。

私は展望大浴場の巨大なガラス窓からその情景に見入っていた。午後四時半という中途半端な時間帯のせいか、私たち母子のほかに人影はなかった。

母は昨夜と同様、父と離れた浴場では妙にゆったりとくつろいでいる。パーマのかかった髪をトップでまとめ、白いうなじにタオルを当てて窓の外をながめたり、小さく鼻歌をうたったり。ふしぎにも母は父と一緒にいないときのほうが女っぽい。

「雨の展望風呂っていうのも、いいわよね」

なにげないつぶやきも浴場のエコーで艶《つや》めいてきこえる。

「お母さん前もね、こうしてずっと湯煙のむこうに雨をながめていて、のぼせるまで……そう、のぼせちゃったのよね、すっかり。次の日も湯あたりで大変だったわ」

「懐かしい？」

尋ねたのは、言うまでもなく姉だった。

「ねえ、お母さん。二十一年前の雨を思い出して、懐かしい？」

弛緩《しかん》していた母の頬肉《ほおにく》が強《こわ》ばるのがわかった。

「ねえねえ、お母さん、懐かしくないの？」

あなたはお姉ちゃんだから、と理屈で教育を受けてきたせいだろうか。長男長女は比較的粘着質というか、気がすむまで物事を追究するタイプが多いように思える。下の子は弱肉強食で生きてきたので、あきらめが早い。

「ねえ、きいてる？　懐かしいの？　懐かしくないの？」

姉の問いかけが詰問調になると、母はおもむろに窓から目を逸《そ》らした。それから冷ややかに姉を見据えて言い放った。

「懐かしくないわ」

瞬間、姉は熱湯の噴きあげる鍋蓋《なべぶた》のようにがばりと立ちあがった。

「どうして。どうしてお母さんはそうなの？　なんで懐かしくないのよっ」

母も負けじと水しぶきを散らして立ちあがった。

「だって雨を見ていてのぼせたのは五年前、町内会の播本《はりもと》さんたちと熱海へ行ったときよ。なんで二十一年前が懐かしいのよ」

水を打ったような静けさが私たちを包んだ。実際、パノラマの窓には大粒の雨が打ちつけていた。母と姉は上げた腰のやり場に窮して立ちつくし、私の目の高さにはちょうどふたりの陰部が並んで、白い湯煙のむこうから黒いものがちらちらと見え隠れしていた。

くらりとした。


一人悠々と湯上がりのビールを楽しんでいた父は、仲良く風呂へ連れ立っていった妻と長女が、一方は悄然《しょうぜん》と、一方は憤然となって帰ってきたのを見てどう思っただろうか。

沈みこんでいたのは母で、怒りに小鼻をふくらませていたのが姉だった。もともとは姉の執拗《しつよう》さが喚《よ》んだ母子げんかだが、姉にも鬱積《うっせき》した思いがあったのだろう。姉はもう金輪際《こんりんざい》、父と母の世話なんて焼くものか、とでもいうように、夕食の時間になってもその唇を硬く結んだきりだった。

貴重なムードメーカーを失った岸本家の晩餐《ばんさん》は、見知らぬ人々と乗り合わせた長い長いエレベーターのようにひそやかで、息苦しかった。沈黙の苦手な父はその寒々しさに耐えかねたのか、食膳《しょくぜん》に煮物が載ったあたりから急に饒舌《じょうぜつ》になった。

「いや、さっきね、このホテルの女の子に『ここの浴槽はいいねえ』って言ったら、『よくそう言われるんです』って。がはは」

「それにしても別府ってのは、べっぷぃんさんの多いところだ」

「このカレイ、ちょっとカレぃなあ」

これらの駄洒落《だじゃれ》が晩餐により深刻な寒波をもたらしたのは言うまでもない。

もう遅い。父がどれだけあがいても、どのみちもう遅いのだ。二泊三日の旅行なんて一瞬のうちに過ぎ去って、私たち家族は明日、千葉へ戻っていく。たとえ父が夫婦の危機に気づいたとしても、関係修復の時間までは残されていない。

姉も焦っていたのだろうな、と私は茶碗蒸《ちゃわんむ》しのぎんなんをスプーンで探る姉の横顔をうかがいながら思った。自分にできるのは水飲み場へ案内するまでだと言いながらも、頼られて育った彼女には二人を傍観していることができなかったのだろう。しりごみしている両親の背を押し、遠い記憶にすがってまでも、姉は二人に何かを思い起こさせたかったのかもしれない。

しかし、その姉もついに匙《さじ》を投げるときが来た。

「そろそろ、覚悟を決めなきゃね」

午後六時。父の駄洒落から逃げだした私たち姉妹は、昨夜と同じロビーの、昨夜と同じ席にいた。まだ時間が早いせいかロビーは昨夜よりもにぎやかで、となりのソファではこのホテルには場違いな感じのする女子大生風の四人連れが、なぜこんな場違いなホテルに来てしまったのかとしんみり語り合っていた。

「覚悟して、これから先のことを考えよう」

姉は努めてサバサバとふるまっているようでもあった。

「先のことって？」

「二人が離婚した後のこと。紀ちゃんはお母さん、私はお父さんにつくことになるけど、月に一度はみんなで食事とか、そのへんはあらかじめ決めておいたほうがいいでしょう」

「ちょっと待った」と、私は物言いをつけた。「なんであたしがお母さんなの？」

「なんでって？」

「お母さんはお姉ちゃんのほうが仲良しじゃん。あたしはお母さんと相性悪いし、お父さんについていくつもりだよ」

「仲がいいとか悪いとか、そういう問題じゃないんだよ、紀ちゃん。これはもっと、こう、現実的な……家族それぞれの能力の問題なの」

「能力？」

「紀ちゃんとお父さんは料理ができない。掃除もろくにできない。だから料理や掃除のできる私かお母さんが必要ってこと。できない者同士がペアを組んだら、一巻の終わりでしょ」

鉄の一撃に頭をがつんとやられた思いだった。

「料理なんてそんな……そんなの、練習すればできるようになるよ」

「その前に飢え死にだよ。第一、あんたとお父さんの二人暮らしなんて危なっかしくてしょうがない。二人ともずぼらで大雑把《おおざっぱ》で異常に面倒くさがり屋で、いかにもO型って感じだし。いい？　家庭にはA型が必要なの。私かお母さんか、どっちかが必要なの」

自信たっぷりの姉の声。だんだん腹が立ってきた。

「どっちもいらない。A型なんて神経質でうるさくて……いないほうが楽しいよ」

「ばか、神経質なのは意外とB型なんだよ。だいたいあんたにそんなこと言われたくないよ、さんざん家族に迷惑かけてきた不良娘に」

「あたしだって生まれてからずっとお姉ちゃんのヒステリーに迷惑してきたんだから」

「紀ちゃんみたいにすぐにいじけて、部屋にこもっちゃうよりマシじゃない。ほんとに根暗だよね、あんたのそういうとこ」

「お姉ちゃんなんていつもテレビのチャンネル独占して……ファシストじゃない！」

両親の離婚、という直視しがたい問題を無意識に回避していたのだろうか。私と姉は物事の本質からずれたところで胸の鬱憤《うっぷん》をぶつけあい、互いを傷つけあってはまた新たな鬱憤を溜《た》めこんだ。姉と直接ぶつかったのは数年ぶりだった。

どっぷり暗い気分で部屋に戻ると、そこにはさらなる暗い事態が待ちうけていた。というか、真っ暗だった。いつの間にか布団の敷かれていた和室は早くも消灯され、母は一番廊下側に、父は窓際に、それぞれ背中をむけあって寝息を立てている。

まだ七時。いくらなんでもこんな時間に眠れるわけがない。けれども姉は生気のない動きですするすると布団にもぐりこんでいき、ほかにやることもない私もやむなくそれに従った。

父と母は本当に寝ているのだろうか。それとも寝ているふりなのか。

姉は本気で覚悟を決めたのだろうか。それとも決めたふりなのか。

波のざわめきをききながら、布団の中でとりとめもなく思いを巡らせているうちに、再びあのいやな不安が寄せてきた。こんなときヒロが側にいてくれればいいのにと思う。茅野勇介がくだらない軽口を叩《たた》いてくれればいいのにと思う。でも彼らは今とても遠くにいて、もしも母が私を連れて家を出たりしたら、この先もずっと遠いままになってしまう。料理も掃除もできないO型には自分の行方を決める権利もないのだから。

どこに暮らすのか、誰と暮らすのか、すべてを自分で決められるようになるのが大人になるってことならば、私は今すぐそうなりたい。家族にふりまわされて生きたくない。

枕へ顔を押しあてて強く、強くそう願っているうちに、軽い酸欠でも起こしたように頭がぼうっとなり、何度か意識が飛んだ。そういえば昔はよくこうして枕にへばりついて眠った。母に怒られるたび、姉とけんかをするたびに、やり場のない思いを枕へ押しつけて夢の中へ逃げこんだ。

このまま眠れるのかな。眠れればいいな。まどろみの程を秤《はかり》にかけているうちに、いつしか私は寝入っていた。

大騒動が勃発《ぼっぱつ》したのは、それから数時間後のことだった。

ジリリリリリリリリ!

けたたましいベルにハッと目を覚ましたのは、夜の十時をまわったあたりだろうか。耳をつんざく非常ベルの音。巨大な目覚まし時計にでもせっつかれたように、私たちは瞬時に飛び起きた。

「やだ、なに」

「非常ベル……なんなの？」

「火事？」

「うそ、火事？」

「落ちつきなさい」

「火事だ、助けて！」

「逃げなきゃ」

「落ちついて」

「やだやだ、早く！」

「お母さん、浴衣の帯巻けないっ」

私たちは暗がりの中で完全に理性を奪われた。

そんな大袈裟《おおげさ》な、と思われるかもしれないが、これはあのショッキングな大惨事――三十三人もの死者を出したホテル・ニュージャパン火災の翌年だった。炎に包まれた部屋のベランダから救助を求める人々の姿がまだありありと脳裏に焼きついていた私たちにとって、ホテルでの非常ベルはそのまま死へ直結するものだったのである。

ほかの宿泊客やホテルの従業員にしても同様だったらしく、やがて部屋の外からも乱れた人声が伝わってきた。その音にたぐられるように部屋を飛びだすと、廊下の突きあたりの非常ドアはすでに開放され、宿泊客たちが次々と避難を始めている。おい、急げ。だいじょうぶか。従業員は何してる？　いったいこれまでどこにいたのだろうと思うほどの人々が群がり、鉄筋の非常階段に続く非常ドアへと押しよせている。ほどなく私たちもその渦に吸収された。

赤錆《あかさび》の浮いた非常階段は頼りなく、まるで十年ぶりに仕事を請け負ったご隠居のような軋《きし》み声を上げていた。スリッパも履いていない素足はちくちくと冷たく、一歩踏みだすごとに浴衣の裾《すそ》から湿った夜気が忍びこんだ。闇をかぶった海を遠目に、それでも私はひた走った。足がもつれるたびに手すりへしがみつき、潮風に髪をふりみだして、生き残るために。

背中から母の短い悲鳴がきこえたのは、そうして三階あたりまで階段を駆けおりた頃だった。その緊迫した気配に私と姉がふりむくと、母は「どうしよう」と心底、困りはてた顔をした。

「お父さんを忘れてきちゃったわ」

「えっ」

盲点を衝《つ》かれた思いがした。

「そそ、そういえば……」

言われてみれば確かに、どこにも父の姿がない。思い返せば廊下へ飛びだしたときから……いや、部屋であたふたやっているときからいなかったような。

「景子、紀子、あなたたち先に逃げていてちょうだい」

母の決断は速かった。

「お父さん、まだ気がついてないんだと思うわ。部屋で寝てるのよ。起こしてあげないと」

「そんな、気がついてないなんて……」

これだけの騒動が起こっているのにそんなわけはない、と声をそろえる私たちに、しかし母はきっぱりと言った。

「いいえ、寝てるわ、あの人なら！」

迷うことなく来た道を引き返していく母を、私と姉は同時に追いかけた。星のぱらつく空の下、上から駆けおりてくる人々に逆行して階段を駆け上る。浴衣は露《あら》わにはだけ、息は荒れ、私たちは這々《ほうほう》の体《てい》で部屋までたどりついた。

勢いこんでドアを開くと、父は母の読みどおり、掛布団を頭からかぶって豪快な鼾《いびき》をかいていた。

「あなた、起きて！」

母は滑るように和室へ駆けこみ、父の掛布団をまくりあげた。

「火事よ、火事ですよ、あなた！　起きて、ねえ、生きて逃げなきゃ。あなた、早く生きてちょうだいっ」

興奮のあまり「起きて」と「生きて」がごっちゃになっている。母の金切り声をきいているうちに私と姉の気も高まり、ついにはそろって声を合わせていた。

「お父さん、生きて！」

父の寝顔が歪《ゆが》み、なんかうるさいなあ、といった調子でようやく瞼が開かれた。

非常ベルの大音響がぴたりと止んだのは、そのときだ。

「ホテル三楽にご宿泊のお客様方にお知らせ申し上げます。午後十時十二分、当ホテルの警報が作動し、皆様には多大なご迷惑をおかけしましたが、調査の結果、誤作動であることが確認できました。重ねてお知らせ申し上げます……」

この一件を父はその後、何度も何度も、もはや誰も相槌《あいづち》を打たなくなるまでしつこく酒の肴《さかな》にすることになる。

「いやあ、あの夜は参ったよ。ふと目を開けたら女房と子供が生きるの死ぬのって大騒ぎしてるんだ、がはは。いやなに、俺だってな、最初に非常ベルが鳴ったときは起きたさ。そりゃあ起きましたよ。けどおまえさんたちがバタバタやってるのを見て、こんなときこそ男はどっしり構えなきゃ、ってな。いざってときに泰然自若としてるのが真の男だ、てんでまた寝に入ったわけだ。ははは」

時が経てば笑い話、という典型的な例である。

が、ここに一つの秘密がある。非常ベルでいったん目覚めてからすぐにまた寝入った父は、再び私たちに起こされるまでの間に何があったのか、どれだけ時間が経過したのかをどうやら知らないらしい。そう、私たち母娘が一度は彼を忘れて逃げた事実を知らずにいるのである。

知らないほうが幸せ、という典型的な例である。

ともあれ、あの夜、二度目の目覚めとともに非常ベルは誤作動であったとのアナウンスをきいた父は、生きるの死ぬのと逆上していた私たち母娘をひとしきり笑ったあと、このアクシデントに乗じてなかなかうまくやった。

「しかしまあ、せっかくこうして起きたんだから、ちょっと一杯やりますか」

はだけた浴衣の前を合わせながら、父は実に自然に、川に浮いた小枝でも拾うみたいに母を誘ったのだ。

「え」

母がとっさに拒めなかったのは、父を忘れて逃げた後ろめたさのせいかもしれないし、生死をさまよった心のうねりが残っていたせいかもしれない。どちらにしても母はノーと言いそびれ、次の瞬間、父の手はすでに母の背中を押していた。

「ほれ、ほれ。まだ夜の十時半じゃないか」

私と姉は顔を見合わせ、窓辺のサイドテーブルに彼らが向かいあうのを見届けてから、そろってもそもそと布団の中へ戻った。ものすごく大仕掛けの避難訓練でも受けたようにくたびれていた。みるみる睡魔にさらわれていく私の耳に両親の話し声はきこえてこなかったけれど、冷蔵庫の開閉やビールの栓を抜く響きに、無骨なO型にはないA型の細やかな挙措《きょそ》を感じた。

翌朝、目覚めると布団に母の姿がなかった。

姉はいる。父もいる。なのに母だけが消えている。障子のフィルター越しにじわじわと染み入ってくる朝の陽は、足りない頭型にへこんだ母の枕に白い光を集めている。

私はのっそり起き上がり、布団を敷きつめた和室の障子を開いた。視界を真っ赤に塗りつぶす直射日光に目を細めながら、窓辺のサイドテーブルを注視する。ビールの大瓶が三本。琥珀《こはく》色《いろ》の液を残したグラスが二つ。アーモンドチョコレートの空箱が一つ。名探偵ならこれだけで母親失踪《しっそう》の謎を突きとめるだろうか？　私はまだ覚醒《かくせい》しきっていない頭でそんなことを考え、しばし途方に暮れた。

背後でドアの開く音がしたのは、そのときだった。

ふりむくと、バスタオルを手にした失踪者が立っていた。

「あら、紀子、起きてたの」

と、上気した顔を私へむけて笑う。

「せっかくの温泉だからね、ちょっと最後に一風呂浴びてきたのよ。お金払って来てるんだし、いっぱい入ってかなきゃもったいないじゃない。朝風呂もなかなか良いものよ。紀子も入ってくれば？」

健《すこ》やかな笑顔だった。私は母の頭型にへこんだ枕をふりかえり、それからまだがあがあと鼾をかいている父の寝顔に目を移して、大人はたくましい、と思った。

「お母さん？」

母の声がきこえたのか、姉がだるそうに寝返りを打ちながら言った。

「なに、お風呂行ったの？」

「そう。気持ち良かったわよ。景子も入ってくれば？」

「それよりお腹すいた」

いつもの朝だった。なんてことのない普段のやりとりだった。昨日の母娘げんかも、姉妹げんかも、父を忘れて逃げたことも忘れて、私たちはまた新しい一日を迎えていた。

昨日と今日とのあいだに明らかな変化があったとしたら、それは大広間での朝食にデザートのかぼすゼリーが加わったことくらいだろう。

「昨夜の非常ベルはいたずらの可能性が高いとのことですが、ご宿泊の皆様には大変ご迷惑をおかけ致しました。心ばかりですが、お詫《わ》びとしてお召しあがりください」

かぼすゼリーは支配人から宿泊客全員へのサービスだった。

一夜明けると前夜の騒動も何か特異な体験へと昇華され、しかもそれは父を除く宿泊客全員の共通の体験だったから、朝の大広間にはふしぎな連帯感がたちこめていた。いやあ、ゆうべは参りましたなあ。ほんと、心臓が破裂するかと思いましたよ。こんなところじゃ死にたくないねえ。そんな会話が急須《きゅうす》とともにあちこちの座卓を飛び交っている。

うちの座卓は比較的静かなほうだった。母はあいかわらず父と口をきかず、父と姉が交互に会話をつないでいたけれど、それでも母は父に「なあ」と話をふられたとき、露骨にそっぽをむかなくなった。もしかしたらうなずいているのかもしれない、と考えられなくもない微妙な首の揺らしかたもするようになった。

「帰りの飛行機は五時の発だ。だいぶ時間があるけど、今日はどこへ行こうか」

酸味と甘味のほどよく調和したゼリーを平らげたところで、父はその日のプランを練りはじめた。

「もうこのへんは見尽くしたしなあ」

母が姉にむかって「今朝ね」と一見、何の脈絡もない話を始めたのは、それからたっぷり二十秒ほど過ぎてからだった。

「今朝、お風呂で岡山からいらした奥さんとお話ししたの。景子より一つ上の息子さんがいるそうで、今年、大学に入学したんですって。うちは受験生を二人連れてきてるんですって言ったら、あらまあこんな時期にってびっくりされちゃったわ。やっぱり正念場なのかしらねえ。帰ったら二人ともがんばらないと。そう、それでその奥さんが教えてくれたんだけど、国東《くにさき》半島にいいところがあるんですって」

「いいところ？」

家族の期待が集まった。

母は六つの瞳を受けとめて微笑んだ。

「もみじの見事なお寺。それはそれは見事な名所ですって。今日はそこへ行きましょう」

十一月末の大分は紅葉の真っ盛りで、私たちは行く先々で色づいたもみじや銀杏《いちょう》に迎えられた。空港から別府までの道にも、耶馬渓の岩峰にもホテルの庭にもそれはあったから、私はもみじの見事なお寺にさほど期待はしていなかった。

行ってみて、驚いた。それまでのもみじがすべて記憶から押しやられてしまうほどに、その寺のもみじは確かに途方もなく見事だったのだ。

別府の北に位置する国東半島。中世に芽吹いた仏教文化を今に伝えるこの山深い郷《さと》の直中《ただなか》に、両子寺《ふたごじ》というその寺はあった。別府から約一時間、曲がりくねった山道を走り続けた私たちは、手編みの籐籠《とうかご》などが売られている寺前の通りで車を降りた。千三百年の歴史を持つ六郷満山《ろくごうまんざん》の総持院というだけあって、通りには参拝や観光に集まった人々の大きな流れができていた。望遠レンズ付きのカメラをぶらさげたアマチュアカメラマンの姿もある。

人波に紛れてゆるやかな坂道を上り、無明橋《むみょうばし》という半円形の赤い橋を渡ると、すっと天へ伸びる急勾配《きゅうこうばい》の石段が威圧的に現れ、その両端からさらに威圧的な一対の石像が私たちをにらみつけた。全長二、三メートルはありそうな仁王門だ。

「邪《よこしま》な者は入るべからず、ってとこか」

いつになく神妙な父の声がした。

私たちはなんとなく恐縮し、心もち歩調をゆるめながら仁王門を抜けると、天を貫くような杉並木に囲まれた石段を上りはじめた。先頭を行くのは姉で、それに負けじと父が後を追う。私はその後ろからぶらぶらと続き、母はしんがりで数段ごとに立ち止まっては貪欲《どんよく》に視線をさまよわせる。

石段の途中、二つめの門を通ったところでふいに杉が消え、代わりに視界いっぱいのもみじが現れた。

緑の森から紅《くれない》の海へと投げこまれたようだった。

右から、左から、頭上から、石段を襲うように垂れこめるもみじの並木。木皮の茶も、空の青も、天からそそぐ白光さえも遮蔽するもみじの紅《あか》。赤。朱。微《かす》かに風がそよぐたび、その紅はゆらゆらと私たちの上に降りそそぐ。その舞いを追って目線を下に降ろせば、足下の石段にも紅の絨毯が敷きつめられている。

魅了され、圧倒されて、咳《せ》きこみそうだった。

もみじがこんなにも美しいものだったなんて……。

桜は人を狂わすというけれど、もみじは人を黙らす。燃える炎を思わせる複葉には桜にはない神々しさがあり、それは見る者の胸に限りない静寂と、小さな畏怖《いふ》を送りこむ。なのにとても温かい。

「はあ」と、母が感極まったようにつぶやいた。「こんなの初めて見たわ。どうしましょう」

「なあ」と、父も口許に苦笑いめいた笑みを浮かべた。「こんなところにこんなもんがあると、本当に神も仏もいるような気分になっちまうよなあ。こんなすごいもんが自然ににょきにょき生えてくるなんて」

まさににょきにょきといった具合に、もみじは境内《けいだい》の至るところに見受けられた。石段の右手に広がる池のむこうにも。ちろちろと流れる小川の畔《ほとり》にも。ふいに石段が途切れ、目の前に開けた平らかな空間に現れた護摩堂《ごまどう》の周辺にも。

五大明王を祀《まつ》る護摩堂はもみじに埋もれて屋根しか見えないほどで、中でも圧巻は、そのお堂を囲む堀のむこうから垂れこめる巨木だった。

しぐれもみじ。

巨大な、まるで小さな森のようなもみじ。とても一樹の生命力だけで息づいているとは思えない。東へ、西へ、南へ、北へ、天衣無縫に枝葉を広げるその先はもうあまりに高く、遠くて目が眩《くら》みそうだ。その遠いところから地面へと降りそそぐ紅葉は、光の角度や梢《こずえ》によって微妙に色を移ろわせ、巨木に色彩の波を起こす。真紅。茜。緋《ひ》。橙《だいだい》。鬱金《うこん》。黄。萌葱《もえぎ》――。

しぐれもみじ、と朱書された板を掲げた巨木の前で、私たち親子は呆《ほう》けたように立ちつくした。私たちだけではなく、ほかにも幾人かが忘我の面持《おもも》ちでその木を見上げていた。アマチュアカメラマンたちはファインダーに巨木の全体を収めるため、遥《はる》か遠い地点に三脚を立てている。

どのくらいの時が流れたのだろう。

家族でいち早く我に返ったのは、こんなときはいつもそうであるように、母だった。澄んだ海でも星空でも、母は美しいものを見ると誰よりも激しく反応し、感動を通りこして動揺しているかのような騒ぎかたをするけれど、冷めるのも早い。ベランダの洗濯物でも思い出したような顔をして、しゃきっと現実に立ち返る。

もみじに魂を連れていかれた私たちの傍《かたわ》らで、母はいつしか見知らぬ老婦人と立ち話を始めていた。

「いい季節に来ましたねえ」

「本当に。一年で一番良い日です」

「お天気も良くて」

「こんな日はそうそうありません。こちらは初めてですか？」

「ええ、別府には二十一年前に来ましたけど、このお寺は初めてです。でもなんでかしら、ふしぎと懐かしいわ」

今にも天頂に昇りつめようとする陽が雲に隠され、巨木の合間からうらうらと射していた光が薄らいだ。私たちはそれを合図のようにしてその場を離れ、奥の院へと続く石段を上りはじめた。母は一足先に老婦人と前を行っていた。

「ここは神仏合祀《ごうし》のお寺なんだな」

いつの間にか案内のパンフレットを広げていた父が言った。

「神仏合祀って？」

「一般に、寺では仏を、神社では神を祀ってるもんだけど、ここでは仏も神も祀ってるわけだ。どっちもありってことだな」

「どっちつかずってことでもない？」

姉が片眉を持ちあげて質《ただ》した。

「そうも取れるが、いいように取ろう。ここには神も仏もいる。なんでも願いが叶《かな》うぞ」

「でも、人間はその何億倍もいるからな。よほど気合い入れて祈らなきゃ届かないだろうね」

深緑の木立に守られた奥の院は仄暗《ほのぐら》く、しっとりとした静謐《せいひつ》さに包まれていた。五人並んで賽銭《さいせん》箱に小銭を放り、神と仏に祈りを捧げる。一応高校には入れますように、と心でつぶやいた私の横で、姉はかなりの気合いを入れて長々と両手を合わせていた。

堂内の仏像を拝みながら奥の院をひとまわりすると、清澄な空気も次第に肌寒く感じだし、私たちは来た道を引き返した。

老婦人とすっかり意気投合した母は、このまま別れるのも忍びないらしく、護摩堂の側にある茶屋でお茶でも飲んでいこうと言う。

「じゃ、私、そのあいだ池のほうに行ってくる。ほら、来る途中にあったでしょ」

姉が真っ先に逃げだした。おばさん二人の長話につきあうのは私も気が進まず、茶屋へ入っていく母たちと別れて、再び吸いよせられるようにしぐれもみじの前に立った。

見上げると、まだ降ってくる。まだまだ降ってくる。紅い赤い朱い葉の吹雪。

夢心地で見入っていると、背中から父の声がした。

「しぐれもみじのしぐれって、どんな字を書くか知ってるか?」

私は父をふりむき、「さあ」と首を傾けた。

「時の雨と書いて、時雨《しぐれ》」

「時の雨？」

「冬の始まりに時々降っては去っていく通り雨のことだよ。その通り雨が降ることをしぐれる、という」

「しぐれる……」

「我が家もここ数年はずいぶんとしぐれたなあ」

父が含んだものを察するのに少々時間がかかった。

「しぐれたんじゃなくって」と、私は父をにらんだ。「ぐれたんだよ、あたしは」

「そうか。そうだな。紀子のは時雨ってより大嵐か」

愉快そうに目尻を垂らして笑う。皮肉か冗談かわからない。

困惑する私に父はさらりと言った。

「紀子、おまえ、昌人《まさと》くんって知ってるか」

「お姉ちゃんの彼氏の？」

「そうそう。どんな奴だ？」

「どんなって……会ったことないけど、大学中退してバイトで暮らしてる人で、マイケル・ジャクソンが好きで、時々家でチーズケーキを焼いたりするみたい」

「詳しいな。会ったことないわりに」

「きこえるんだよ、電話の声」

「最近もきこえるか?」

そういえばこのところ男からの電話がない。

「きこえないけど。なんで?」

父は答えず足下の落ち葉へ目を降ろした。ゆっくりと膝《ひざ》を折り、もみじの一葉を拾いあげる。その血管のような葉脈を見つめながら言った。

「景子な、高校卒業したらその昌人くんと同棲《どうせい》する気でいたんだ」

「ええっ」

「言うなよ、母さんには。そんなこと言ったら卒倒するって、景子も母さんには言わずに俺に相談を持ちかけてきた。あいつ頑固《がんこ》だから何を言ってもきかなくてさ、俺も相当反対したけど、恋ばかりはなあ。人の力の及ばない通り雨みたいなもんだからなあ」

通り雨というより、私にとっては青天の霹靂《へきれき》だった。あの姉がそんなに思いきったことを企んでいたなんて。あの堅物《かたぶつ》の長女が。あのA型が。

「しまいには父さん、もうそれでもいいような気がしてきてさ。今、景子がそれほど昌人と暮らしたいならそうすりゃいいのかなって、ふた月かけて俺のほうが逆に説得されかけた。でも俺がギブアップする前に、昌人がリングを降りたんだ」

「え」

「心変わりをしたらしい」

まだ目の前にしゃがんだままの父のてのひらから、さっき拾ったもみじがひらりと地に戻った。

「簡単に別れるもんだよなあ、今の若い奴らは」

「………」

「景子は母さんに似て慎重な子だから、おまえとちがってなんでも好きにはできない。その景子がようやく好きに生きようとしたら、この顚末《てんまつ》だ。なんだかやるせなくてなあ。景子はもう忘れたって口では言ってるけど、時々赤い目をしてる。なんとかしてやりたくてなあ。父親としては昌人の野郎を殴ってやりたいくらいだが、そんなことしても景子は喜ばない。景子の喜ぶことはなんだろうと考えてたら、急に景子がみんなで旅行に行こうって言いだしたんだ。父さん、一も二もなく賛成したよ。少しでも景子の気が晴れればと思って……いやもちろん、高校受験を控えた紀子の気晴らしにもなればと思ってな」

父はそこでやっと私を思い出したように顔を持ちあげた。

「どうだ、少しは息抜きができたか」

濃紺のセーターの肩のあたりにもみじが付いている。風に飛ばされそうで飛ばされないそれを見つめながら、私は急に泣きたいような笑いたいような衝動にとりつかれた。

私へのフォローなんてどうでもいい。これは姉が父と母のために企画し、父が姉のために実現させた旅行だった。そういう旅行だったのだ。

すとんと力が抜けた。本当に脱力した。私はその場にへたりこんで膝を抱えた。

「どうした?」

「仰天した」

「だろうな。でもだいじょうぶだよ、景子は強い子だから」

「あたしは?」

「紀子も強い。とくに酒に強い」

「お母さんは?」

「え」

「お母さんのことはだいじょうぶなの? もっとちゃんと仲直りしなくてもいいの?」

父は目を瞬き、それからぽんと私の肩を叩いた。

「そりゃあだいじょうぶだよ。母さんと俺はこれからまだ二十年も三十年も連れ添っていくんだ。それだけの時間があればどんな問題でも解決できる。でも、娘たちはいつかは旅立っちまうからなあ」

言いながら頭上へと首を傾け、薄紅の木漏れ日を受けとめる。天をも染めるしぐれもみじを仰ぎながら、父はまるで本物の時雨にでも打たれたように目を細めた。

「あらまあこんなところに！」

と、背中から母の甲高《かんだか》い声がしたのは、そのときだ。

「あのお茶屋、混んでて混んでて、頭にきちゃったわ。しょうがないからあきらめて、お守りだけ買ってきたの。紀子と景子の合格祈願のお守り。お守りって年々高くなってるんじゃないかしら」

日常を司《つかさど》る母は強い。恐らく我が家の誰よりも。私と父は目を合わせて苦笑し、姉を迎えに行く母と老婦人の後に続いた。

しぐれもみじに後ろ髪を引かれつつ、一段、また一段と石段を下っていく。

姉はトレッキングセンターの傍らに広がる池の向こうにいた。うぐいす色の水を囲む岩の一つに足を載せ、後ろ手に両手を組み合わせて、後方に広がる紅葉をながめている。際《きわ》やかに開いた巨大な花びらみたいなもみじの下に小さく、遠く見える姉はまるで雌蘂《めしべ》のようで、足下に揺れる水面が合わせ鏡のようにその姿を映しだしていた。

景子、と母が呼びかけて、姉がこちらをふりむいた。

遠すぎて表情は見えない。なのに思った。ああ、恋をしていたのだな、と。彼氏からのラブレターを見つけたときよりも、電話での睦言《むつごと》をきいたときよりも、リアルにそう思った。

私が深酒をしたり、万引きをしたりとろくでもない日々を送っていた頃、姉もまたろくでもない恋の結末を迎えていた。父は父で浮気などして母を泣かし、母は父に泣かされ、みんながそれぞれろくでもない日々を送りながら、そのろくでもなさを凌《しの》いで今まできた。そうしてこれからも……と、私は母の呼び声に駆けてくる姉を見やりながら思った。これからもまだしばらくはこのまま、互いのろくでもなさにうんざりしたりされたりしながら、四人で暮らしていくのだろう。

「ねえ、池の中に何が見えたと思う？」

息をはずませてやってくるなり、姉は私の瞳をのぞきこんで言った。

「知らない。何？」

「内緒。紀ちゃんは永遠に知らないままなんだよ」

意地悪く笑って、ふんと顔をそむける。その視線の先にはなにげなく寄りそう両親の姿があり、姉はすかさず鞄《かばん》からカメラを取りだした。

カシャ。

ようやくのツーショット。やられた、と顔をしかめる母に、背後から老婦人が歩みよって言った。

「よろしかったら、皆さんでお撮りしましょうか」

姉のカメラが老婦人の手に渡った。お願いしまーす、と甘い声をあげて姉が母のとなりに走り寄る。父が、母が、姉が、老婦人が、みんなが私を見つめている。

私はしかたなく足を踏みだし、まだ肩にもみじを載せている父の横に立った。

第七章　放課後の巣

高校生になったらアルバイトをしよう。

そう心に決めていた私にとって、高校生になることは、すなわちアルバイターになることでもあった。

お金を貯めたい。何かを買いたい。そんな明確な目的意識があったわけではない。私はただ家にも学校にも飽き飽きして、その枠を超えた新しい世界に憧れていたのだと思う。小さい頃、スーパーのレジ係に憧れて、誕生日にレジを買ってほしいと両親にせがんだ。あの延長線上でレジを叩《たた》き、トレーで料理を運び、いらっしゃいませと微笑むことを夢見ていた。

そして、夢は叶《かな》った。いとも簡単に。

〈ラ・ルーシュ〉

それが私のアルバイト先第一号——小さな欧風レストランの名前だ。

フランス語で〈蜜蜂《みつばち》の巣〉を意味するこの店は、通学途中の駅から徒歩十分の閑静な通りに面していた。目立たない立地のわりに繁盛していたのは、その界隈《かいわい》ではあまり見かけないシックな佇《たたず》まいと、味わい深い上質な料理の賜物《たまもの》だろう。私がこのレストランに目をつけたのも、黒のワンピースにフリルつきのエプロンという制服が、他店に比べて格段に洒落《しゃれ》ていたせいだった。

店の外観はとろりとした蜂蜜色で、三匹の蜜蜂を象《かたど》った鉄細工の看板を掲げている。店先には四台分の駐車スペースがあり、そのそっけないコンクリートの肌を銀杏《いちょう》の葉が四季折々の色に染めあげる。ずっしりとしたオーク材の扉を開くと、その先にはより濃厚な蜂蜜色の空間が広がり、あえて不規則に配置されたテーブルを卓上キャンドルが照らしだす。それらのテーブルも、椅子も、クロスもカーテンも食器類も、店の備品はすべて一見素朴でありながら、その実、店長が外国から買いつけてきたこだわりの逸品ぞろいだった。

まだ三十代半ばの若さだった店長は、理想とするレストランの実現にそれ相応の年月と労力と親の財産をつぎこんだらしい。が、三年前に念願の店をオープンさせるやいなや、興味の矛先《ほこさき》をするりとあさっての方向へむけ、私がアルバイトを始めた頃には理想のカフェバー造りに燃えていた。

というわけで、店先の銀杏がまだ青々としていた六月の放課後、生まれて初めてアルバイトの面接に臨んだ私を事務室へ通してくれたのは、店長不在の店を実質的に切りもりしていた料理長の森住《もりずみ》さんだった。

「高校は北高、か。だったらうちは通学圏内だね。交通費ナシですむのは助かるな。週に何回くらい入れそう？」

「四、五回なら」

「四、五回ね」

「あ、六回でも」

「七回でも？」

「え」

「はは、冗談だよ。四、五回で十分。来週から来てもらおうかな」

面接はあっけなく終了した。これって合格？　採用？　ぽかんとしていた私は、「じゃあ、これ」と森住さんにウエイトレスの制服を手渡されるなり、一気に舞いあがった。その後の説明はほとんど頭になく、気がつくとウエイトレスの制服を抱きしめて事務室を後にしていた。

浮き足だったステップで外階段を下り、レストランのおぼろな窓明かりの前で立ち止まる。来週からは私もあの中にいるんだ、と思うと胸が一層、高鳴った。怖いような、こそばゆいような、でも無性にわくわくするような。小学生から中学生に変わったときよりも、中学生から高校生に変わったときよりも、もっと劇的な変化がその扉一枚にひそんでいるような——。

それまで家と学校を往復するだけだった私の日常に、突如、開かれた第三の扉。〈ラ・ルーシュ〉は、私が自ら望み、自ら獲得した初めての場所だった。

とはいえ、そこは私がどんなに望んでも、事と次第によっては強制退場を余儀なくされる場所でもあった。義務教育の学校とはちがい、遅刻をすればバイト料に響くし、無断欠勤をすればクビになる。高価な紅茶のポットを三回割ったらクビ、という一説もあり、それが本当なら私の寿命は長くないと誰もが危ぶんでいたにちがいない。

新米ウエイトレスとしてデビューした当初の私はひどいものだった。毎回遅刻すれすれにホールへ駆けこんで、終日ぎこちない動きで先輩たちの邪魔をし、何度もトレーを落としては店中をしんとさせ、皿やグラスを割り、オーダーミスを連発する。その上、いくら教わってもエビグラタンとエビドリアを見分けることができず（ごく微少なヒントがあったのだが）、エビグラタンのお客さんにエビドリアを、エビドリアのお客さんにグラタンを運び、双方がスプーンでひとすくいしてから失敗に気づく、という初歩的なミスをくりかえした。

科学の実験や数学の方程式は実社会では役立ちそうにない。以前からそんな疑念を抱いていた私にとって、初の職場における自分自身の無能はまさにその証明だった。ホールでひとつ失敗をするたび、私は自信を喪失して厨房《ちゅうぼう》へ逃げこんだ。シェフたちの戦場である厨房には、手隙《てすき》のウエイトレスがナイフやフォークなどのシルバー類を磨くコーナーがあり、そこが私の避難場所だった。ホールに出るのが怖くなるたび、私はその暗がりで延々とシルバーを磨き続けた。

そんなとき、何かにつけて私を励ましてくれたのが森住さんだった。面接者としての責任感もあってか、森住さんは他愛のない話で私をリラックスさせ、自家製のバゲットが焼きあがるたびに味見をさせてくれた。

普段は気の良いおじさんで、なのに料理には妥協を許さない森住さんの焼くバゲットは格別だった。嚙《か》みしめるまでもなく、ほんの一片を含んだだけでバターの香ばしさが口いっぱいに充ち充ち、鼻を、舌を、喉《のど》をじわじわと悦《よろこ》ばせていく。落ちこみの深さは、つねにその悦びの強さに負けた。私は焼きたてのバゲットをほおばるたびに、再びホールへ出ていく元気を与えられた。

厨房の大黒柱が森住さんなら、さしずめホールの女王蜂は円《まどか》さんだった。

円さんは私より五つ年上で、〈ラ・ルーシュ〉でのバイト歴は二年。キャリアとしてはそこそこのところだが、月々の労働時間が長いこと、私たち新人の面倒見も良いこと、男性客のファンが多く店長までも彼女を気に入っていたこと……等々、様々な要素が相俟《あいま》って彼女を女王蜂とさせていた。

といっても、決して高いところにふんぞり返っていたわけではない。バタールールみたいに小さな顔をして、長い髪をいつも器用に編みこんでいた円さんは、つねに誰よりもしなやかに、的確にホールを動きまわれる人で、実際、どんな働き蜂よりもよく働いた。なのに普段はおっとり屋で、ひとたび休憩室に入るなり、賄《まかない》のオムライスを四十分もかけて食べたりもする。そのギャップがまた魅力的で、私はひそかに憧れを募らせ、何かと彼女を慕うようになっていった。

仕事に慣れた私が休日の早番も任されるようになると、毎日はもうどっぷりと蜂蜜色に浸かって、円さん以外のアルバイト仲間とも急速に打ちとけた。休み時間に休憩室で話しこんだり、バイトの後にみんなでごはんを食べに行ったり。試験前に私が休憩室で問題集を広げていると、必ず誰かがわからないところを教えてくれたし、つまらない悩みの相談にもつきあってくれた。

最年少の私の目に、彼らは皆、同い年の友達とは比較にならないほどに物知りで、人生経験も豊富な大人として映った。

彼らと過ごす時間は甘い蜜の味がした。

学校で多少いやなことがあっても、放課後の巣でその蜜を味わえば大概のことは忘れられた。

「あら、いいのに。残り物なんだから、お金なんて」

ある遅番の夜、ホールの片付けを終えた私が店のケーキを買って帰ろうとすると、レジを閉めていた円さんに止められた。

「どうせ残ったら捨てるしかないんだもの。みんなそうしてるし、お金はいいから欲しいだけ持って帰って」

「私もいつもはそうしてるけど……。でも、今日は買います」

私の声には不自然な力みがあったのかもしれない。勘の良い円さんは「はて」というふうに首をかしげ、それから「あら」というふうに微笑みを広げた。

「そういえば、今日は初めての……」

私はにんまりとうなずいた。

そう、その日は初の給料日で、私は生まれて初めての稼《かせ》ぎを手にしていたのだ。

なんだかおかしな感覚だった。つい数年前まではお金を払うべきものをただで盗んでいたのに、今では働いてお金を稼ぎ、ただでいいと言われるものにさえ進んでお金を払おうとしている。

正直なところ、金銭や物の価値というものは依然として私にはよくわからなかった。

ついさっきまでは一個三百円の価値のあったケーキが、閉店後にはポリバケツに捨てられてまったくの無価値となる。

「どうでもいいんだよ、価値なんて。要は、社会のルールを守るか守らないかってこと。ノリはそれを守れるカタギになったんだよ」

全部で八個買ったケーキのうち、半分を帰りにヒロの家へ届けると、ヒロは出所した前科者でも労《ねぎら》うようにそう言った。近所の女子校へ進んだ彼女も今は社会のルールに則《のっと》って暮らしているらしく、私たちは互いの高校について「平和だけど、退屈」と似たような愚痴をこぼしあって、別れた。

残りのケーキを家に持ち帰ったのは十一時頃だろうか。長いこと箱をふりまわしていたせいで、苺《いちご》のフロマージュはすっかり変形していた。にもかかわらず、私からそれを受けとった母はすでに寝ていた父を起こし、短大の友達と長電話をしていた姉にも声をかけ、温かな紅茶をついで家族全員が集まるのを待った。

私たちは厳粛に、まるで何かの真剣勝負のように崩れたケーキを食べた。

アルバイトを始めて三ヶ月が過ぎると、新しい顔ぶれも加わり、ようやく私のウエイトレスも板についてきた。接客にも余裕が生まれ、三人のお客さんから同時に呼びとめられても、常連客に「いつものお願い」と言われても動じなくなった。バイト仲間ともさらに打ちとけて、毎日のように顔を合わせる彼らを家族のようにも感じはじめていた、あの頃——。

私は〈ラ・ルーシュ〉での時間にかつてない充実を感じ、制服ひとつで生まれ変わった気になって没頭し、没頭しすぎて蜂蜜色を濁す不穏な影も目に入らずにいた。

不穏な影——今にして思えば、それは店内の至るところにあったのに。

たとえば、あの日。店先の銀杏が金色に燃えていたあのたった一日にさえ、まるで添え物のピクルスのようにつきまとっていたのに。


あの日曜日はいくつかの点において確かに特殊だった。

まず第一に、普段は最低七人のアルバイトがいるランチタイムに、その日は五人しかいなかったこと。私と、円さんと、清水さんと、小笠原《おがさわら》さんと、百合《ゆり》ちゃんの五人。残りの二人は急用で出られなくなったとの連絡があり、めずらしく店長がホールの手伝いに顔を出していた。それが第二の特殊な点。第三は、その日に限って私の友達が二組も店に訪れたことだ。

一組目の来店はランチタイムの直中《ただなか》だった。

ランチタイムの大混雑は十二時前から一時半頃まで続く。その日は十二時と同時に十一名の団体客が入ったため、いつにも増してひどいパニックに陥った。

入口の扉から春子が現れたとき、だから私にはゆっくり驚く余裕もなかったのだ。

「え、うそ、春子？」

「ええっ、紀ちゃん？　やだ、びっくり。なんでこんなとこにいるの。この前バスでばったりクー子と会って、紀ちゃん何してるかねって話してたばっかりなのに」

私のぶんまで春子がたっぷり驚いてくれた。久しく顔を合わせなかった幼友達に、いきなり「いらっしゃいませ」と営業スマイルで迎えられたのだから、無理もない。

春子には男の子の連れがいた。もっと話をしたかったものの、団体客の一人が呼んでいたため、私は春子たちを足早に空席へと案内した。

このランチタイムの慌ただしさを、のちに百合ちゃんは「聖徳太子並み」と愚痴った。確かにホールの四方八方から、同時にいくつもの声が私たちを呼んでいた。一時を過ぎたところでいったんは客足がとだえたものの、断りもなしに店長が休憩に入ってしまったため、すぐにまた人手不足へ逆戻り。と思ったら、もう一人、頭数が減っていたらしい。

「ねえねえ、小笠原くんは？」

清水さんにきかれて気がついた。そういえば小笠原さんの姿がない。もともと影の薄い人なので言われなければわからなかったものの、これでホール係はたったの四人になってしまった。

第二のパニックを乗りきり、ホールが落ちつきを取りもどしたのは、一時半を過ぎてから。ようやく手の空いた私は春子たちに洋梨のタルトをサービスし、初めて会話らしい会話を交わした。

私立の中学からそのまま高校へ進学した春子は、今は弓道部に力を入れていて、勉強よりも部活のほうに比重がいっているようだった。連れの男の子は遠藤くんといって、やはり同じ弓道部の部員らしい。

「このお店ね、友達のお姉さんがアルバイトしてるの。で、その友達に頼まれて来たんだけど、なんとなく一人じゃ入りづらくて。それで遠藤くんにつきあってもらったんだ」

春子は弁解でもするように言った。

「友達って？」

「清水さんって人、いない？」

「あ。いるいる、今日も」

「そのお姉さんの好きな人もここでバイトしてるんだって」

「へ？」

「で、清水さんに……妹のほうだけど、頼まれたの。どんな男の人がいるか見てきてって」

いまひとつ話が呑《の》みこめない。

と、「言いかた悪いよ、春子」と横から遠藤くんが説明を補った。

「つまり妹は姉の好きな男に興味津々《しんしん》で、でも自分で来ると姉にバレるから、春子に偵察を頼んだってわけ」

なるほど、と私は納得した。二十五歳の清水さんは生《き》まじめなおばさんといった印象で、恋だの愛だのとは縁遠そうに見えるけど、きっと生まじめな人は生まじめな恋をするのだろう。

でも、誰に？

相手の名前を尋ねてみると、「それがね、わかんないの」と春子は苦笑した。

「お姉さんが教えてくれないんだって。どんな男の人がいるかってだけでいいからチェックしてきてって、友達があんまり頼むから来てみたけど、困っちゃうよね、男の人なんて二人しかいないし。でも一応、頼まれたから観察して報告しなきゃ」

あいかわらずの弁解口調で「頼まれたから」を連発する春子に、ぴんときた。春子はただ遠藤くんとお茶をする口実が欲しかっただけで、本当のところ、友達のお姉さんの恋路なんてどうでもいいのかもしれない。

小六の頃、まっすぐトリを見つめていた瞳は、今ではまっすぐ遠藤くんにむかっている。小学校を卒業して三年半。恋のやり方は変わらなくても、相手が代わるくらいの時が流れたのだ。そして私もそのことにさびしさよりも可笑《おか》しさを感じるくらいの遠くに今はいた。

「岸本さん、シルバー足りないっ」

清水さんの荒い声に、びくんとした。そうだ、スプーンとフォークの補充……。

また来てね、と春子に言い残すと、私は厨房へ飛んでいき、溜《た》まりに溜まったシルバーを磨きあげていった。ホールの仕事に慣れてからも、表舞台の喧騒《けんそう》から解き放たれたこの一時《ひととき》が私はあいかわらず好きだった。

「あいかわらず好きそうだね」

気がつくと、森住さんがとなりに立っていた。

「今日はホール、人が少なくて大変なんだって？」

「はい。でもピークは過ぎたし、チームワークいいからだいじょうぶ」

「チームワークいいよな、確かに。円が良くやってるし。まったく、店長も変なこと考えなきゃいいのにな」

「はい？」

最後の一言がわからずにききかえした。と同時に、「岸本さん、シルバーまだ!?」と清水さんの声。私は磨き終えたぶんを急いでカウンターへ運び、戻ったときには森住さんも仕事に戻っていた。

「紀ちゃん、お疲れ。そのまま休憩に入ってちょうだい」

シルバー磨きを終えた私は円さんの指示で休憩室へむかった。外階段を上った事務室のとなりにある休憩室の戸を開くと、ただでさえ狭い部屋の大方を占める座卓では、煙草をくわえた店長と小笠原さんが何やら話しこんでいた。小笠原さん、こんなところにいたのか……。

「清水さんが……」

探してましたよ、と声をかける前に二人は腰を上げ、無言で事務室へ連れ立っていった。いやな感じ。この忙しい時間帯に何をやっているんだか。

首をひねりながら賄のシーフードカレーを味わっていると、シェフの竹下さんが休憩に入ったので、一緒にテレビを観《み》た。

四十五分後にホールへ戻ったときには、だいぶ客足も減っていた。レナと真由子が来店したのはその四十五分間のことだったようだ。

「二人してプリンを食べていったわ。紀ちゃんの高校のお友達だっていうから、レジ、八掛けで打っといたわよ」

円さんに告げられた瞬間、その厚かましさはレナだ、と確信した。茶色いくせっ毛。そばかす。体重三十九キロの細身。円さんの目撃談とも一致する。

「私、そのちっちゃいほうの子、苦手なんですよね」

思わず洩《も》らすと、円さんは「あら」と瞳を広げて、

「どうして」

「なんか、押しが強いっていうか。ずけずけものを言うし、最初からなんとなく」

「そう？　でも、感じのいい子だったわよ」

「そうですか」

「ええ、礼儀正しかったし」

円さんに言われると、そうなのかな、と思えてくる。確かにレナは根っからいやな子じゃないし、プリンを食べに来るくらいだから、むこうは私に好意を持ってくれているのだろう。

ぼんやり考えていると、円さんがつぶやいた。

「いいわよね、学校の友達って」

「え。なんでですか」

「だってアルバイトとはちがって、毎日、いやでも顔を合わせなきゃいけないじゃない。それも何年も、いつも同じ顔と」

「それのどこがいいんですか」

「そうね、どこがいいのかしらね」

円さんは破顔し、それから小さく言い添えた。

「でも、最近思ったりするの。結局、本物の信頼関係ってそういうふうにしか結べないのかなって。毎日、無理してでも『おはよう』って言い続けるしかないのかなって」

円さんの言う意味を測りかねていると、五番テーブルのお客さんが伝票を持って席を立った。私はレジを円さんに任せてカウンターへ戻った。

カウンターの前では清水さんと小笠原さんが立ち話をしていた。

「そう、私が推したの。この前、店長と話したときに」

「ありがとう。けど、ちょっと迷ってる」

「一緒にがんばってみない？　お店のために」

何の話かと聞き耳を立ててたところで、カチャンと不吉な音がした。見ると、子供が床にオレンジジュースをこぼしている。即座にほうきとちりとり、それにモップの三点セットで処理をし、泣いている男の子に新しいジュースを用意した。たちまち笑顔を取りもどした男の子の横で、母親のほうはいつまでも小言を並べていた。

こうしてホールの空気は張りつめたり、ゆるんだり、ひやりとしたり、ぬくもったり、はちゃめちゃになったり、しんとしたり、絶え間ない変化を生んでいく。

同じ店の、同じ空間に起こるこの温度差。

アルバイトの顔ぶれ一つ、お客さんの顔ぶれ一つでまるで質感が変わる。

その組み合わせの妙――。

遅番と入れかわりにホールを下がるときは、ほうっと息をつくと同時に、いつも少しだけさびしかった。

この日も、私はディナータイムの始まる前に制服を脱いだ。いくつか気になる点はあったものの、トータルではまあ順調な一日だったし、そのいくつかだって別段たいしたことではなかったと気楽に考えながら。

学校の文化祭準備のためにアルバイトを一週間ほど休んだのは、それから十日余りが過ぎた頃だった。そんなに休むのは忍びなかったけれど、レナに「お願い」を百回くらい連発されて断りきれなかった。文化祭実行委員のレナは私たち四組の出しものにカレーハウスを開こうと発案し、それには飲食店で働く私のノウハウが必要だと迫ってきたのである。

もちろん私はそんなノウハウなど持ちあわせておらず、カレーハウスは終日大混乱のうちに幕を閉じた。ごはんが足りない。紙皿が足りない。人手が足りない。釣銭が足りない。そもそもカレーがまずい。これだから素人《しろうと》はいけない。

「でも楽しかったからいいじゃん」とレナはけろっとしていたけど、私は早く〈ラ・ルーシュ〉へ帰りたくてしかたなかった。すべてが整ったプロの店。息の合う働き蜂たちの巣へ。

ところが実際、一週間ぶりに〈ラ・ルーシュ〉へ戻ってみると、どうも様子がちがうのだ。店の内装も働く顔ぶれも変わってはいないのに、妙に空気が重く感じられる。蜂蜜色の壁も、キャンドルの炎も、みんなの動きも、すべてが数ミリずつ縮こまっているような……。

一時間ほどして、気がついた。これまで円さんを中心にまわっていたホールが、その日は清水さんと小笠原さんの手で仕切られていたのだ。

どういうこと？

確かに小笠原さんは円さんよりもバイト歴が長く、清水さんも一年以上はここにいるベテランの一人だ。けれどこれまでは二人とも円さんよりも前に出ることはなく、一歩引いたところでホールを支えていた。その二人が、なぜだか急に店長のように私たちへ指図をし、「もっとお客さんに感謝のこもった挨拶を」などと、円さんでもしたことのない説教までしているのである。

反発を覚えた私がわざと円さんへ指示を仰ぎにいくと、「岸本さん、ちょっと」と清水さんに呼びだされた。

「あのね、岸本さんが休んでるあいだに、私と小笠原くん、ここの社員になったのよ。これからは私たちが率先して〈ラ・ルーシュ〉を改善していくつもり。ほら、この店ってちょっとゆるいところがあったでしょ。アルバイト同士、仲がいいのは結構だけど、それを仕事にまで持ちこんでるっていうか。お客さんって案外、そういうのに敏感だから、これからはぴしっとしめていこうと思って」

そのための新しいルール――アルバイト同士の私語の禁止、あまったケーキ類の持ち帰り禁止、タイムカードの導入、などを清水さんは並べたてた。

「え、じゃああまったケーキはどうするんですか」

「捨てるしかないわね。そうしないとお客さんに示しがつかないし」

「でも、厨房のみんなが一生懸命作ってるのに」

「あまらないようなケーキを一生懸命作ってもらうしかないわね」

その言い方にかちんときた。

「森住さんは品切れでお客さんをがっかりさせないようにって、必ず余分に作るんです」

ひどい気分でホールへ戻ると、そこではもう新しいルールが施行されているらしく、誰もがとってつけたようなよそよそしさの中で動きまわっていた。ついこのあいだまではあんなに睦《むつ》まやかな雰囲気だったのに、こんなに急激にすべてが変わるものだろうか。みんなはこれでいいのか。円さんは？

円さんの姿がない。探しまわると、厨房でシルバーを磨いていた。

「円さん、そんな、ダメですよ」

私は円さんから布巾《ふきん》を奪った。

「円さんがこんなこと……私がやります」

「いいから、いいから」

「だめ、円さんはホールに出てください」

「いいのよ、ほんとに」

「よくないです」

勘定書を奪いあうおばさんたちのように布巾を奪いあっているうちに、シルバーを載せたトレーに私の肘《ひじ》が当たった。トレーはステンレスの台上を滑り、支えを失った宙の上でじゃらりとバランスを崩した。一瞬のことだった。気がつくと厨房には大音響が鳴り渡り、大量のフォークが、ナイフが、スプーンが床に散っていた。

いつもは機敏な円さんが呆《ほう》けたようにそれを見つめていた。

私も動けずにそこにいた。

私たちの足下では無数のシルバーが、蜜蜂の巣を貫く銀色の矢のようにぎらぎらと光っていた。

それでも私はあきらめたわけではなかったのだ。あまりに唐突にいろいろなことが変わって、〈ラ・ルーシュ〉はまるで別の店のようになっているけれど、円さんがいればまだまだ立て直しは可能だと信じていた。今は清水さんに従っているみんなも、いつか必ず女王蜂のもとに戻ってくるはずだ、と。

その夜、駅まで一緒に帰った百合ちゃんから思わぬ話をきくまでは。

「ねえねえ、円さんって、やりまんなんだって？」

百合ちゃんは中華まんの新作でも口にするように言った。

やりまん。

「なにそれ」と、私は百合ちゃんをにらんだ。「誰がそんなこと言ったの？」

「清水さん。ほら、厨房のタカさん、この前やめたでしょ。あれ、円さんに捨てられたからだって。これまでもそんな男が四人くらいいるって。このままじゃ店がめちゃくちゃになるから、それで店長が社員システムの導入に踏みきったんだって」

私はまともに取り合わなかった。

「ふうん。清水さん、そんなこと言ってるんだ」

「うん、でも林さんに言わせると、ちょっとちがうんだな」

「林さんって、パートの？」

「そう。林さんはね、円さんがやりまんってのは本当だけど、店長はそれでも円さんのことが好きで、だから社員にしたかったんだって。でも円さんは断って、それでしかたなく矛先を清水さんに移したってわけ。小笠原さんは清水さんの推薦らしいよ。小笠原さんもじつは円さんと何回か寝てるけど、でも本命にはなれなくて、それでしょうがなく清水さんとつきあいだしたみたい」

「…………」

うそだ、と私は心ではねかえした。ばかばかしい。なんて陳腐なデマだろう。清水さんは円さんを妬《ねた》んでそんなことを言うのだ。林さんは暇だから何でもかんでも言うのだ。ぜんぶうそに決まってる。

でも、本当にぜんぶ？

「ちなみに紀ちゃんさ」

百合ちゃんは私の顔が強《こわ》ばっていくのを見て語気を強めた。

「森住さんにかわいがられてるみたいだけど、森住さんって店長に借りがあるの知ってた？　あの人、若い頃ギャンブルに狂ってたらしくてね、親戚筋かなんかの店長のお父さんが借金の肩代わりしたんだって。だから厨房ではいばってたって、あの人、店長には強いこと言えないんだよ」

得々と語られる百合ちゃんの話を、うそだ、と私は再び全力ではねかえした。けれどはねかえしても、はねかえしても、それは執拗《しつよう》にまとわりついて私の胸を塞《ふさ》いだ。

私はホールでの円さんしか知らない。

厨房にいる森住さんしか見ていない。

そんな当たり前の事実が初めて重くのしかかってくる。

「でも……でも、たとえ森住さんに借金があったって、森住さんの料理は本当においしいよ。たとえ円さんがやりまんだって、円さんはやっぱり私たちのお店の……」

私の必死の抵抗も、百合ちゃんの醒《さ》めた瞳の前にはひとたまりもなかった。

「私たちのお店、私たちのお店って紀ちゃんよく言うけど、〈ラ・ルーシュ〉は店長のお店だよ。私たちはバイトしてお金をもらってるだけ。紀ちゃん、なんか勘違いしてない？」

円さんが〈ラ・ルーシュ〉を辞めたのはその五日後のことだった。

私の採用と同じくらい速やかに事は進み、「辞めたい」と円さんが店長に申し出た三日後には、ホールから女王蜂の姿が消えていた。本人の希望で送別会すら開かれなかった。

ショックを通りこし、私は何やら怒りすら感じた。百合ちゃんの話が頭に引っかかっていたこともあり、彼女が辞めると知ってからの三日間はろくに目も合わせられなかったほどだ。

そんな私の気持ちを知ってか知らずか、最後の日には円さんから声をかけてきた。

「あとのこと、よろしくね。森住さん、紀ちゃんのことすごく頼もしくなったって、期待してるから」

閉店後、二人でテーブルのキャンドルを集めていたときだった。その日のラストは私と円さん、それに小笠原さんの三人で、小笠原さんは厨房であまったケーキの処分をしていた。

「そんな……私なんてダメです。円さんがいなくなったら、〈ラ・ルーシュ〉だってきっとダメになる」

「そんなことないわよ」

円さんはさらりと言い返した。

「私がいなくなってもこの店は続くわ。清水さんもいるし、小笠原くんもいる。紀ちゃんだってね」

「でも、清水さんのやり方じゃ誰もついていかないと思うし」

「そうかな。清水さんの言ってることって、それなりに筋が通ってるわよ」

「でも、円さんはついていけなくてやめるんでしょう」

「私には合わないってだけ。合わないと思ったら、私は早いとこ抜けるの。ずっとそうしてきたの。だからバイト先もここで十件目」

「十件目？」

私は驚嘆した。と同時に落胆した。

「じゃあ、次は十一件目ですか。また新しいところに行くんですか」

「そうね。ちょっと休んだら、また新しいところに行かなきゃね」

「なんかそういうのって……」

さびしい、と言いかけた私を遮るようにして、円さんは一瞬だけ声色《こわいろ》を強めた。

「でもアルバイトってそういうことでしょう。好きに始めて、好きに辞められる。だから自由で、解放感があって、楽しいんじゃないの？」

ずしんときた。

確かにその通りだ。アルバイトは自由で、解放感があって、だから楽しい。学校とはちがって重たくない。いやになったら辞めればいいし、また新しいどこかを探せばいい。誰も私を縛らない。そして私も、誰のことも縛れない――。

「このお店は私も好きだった。だから二年半も続いたの。でも、もういいわ」

言葉をなくした私に円さんは言った。

「いつか紀ちゃんももういいって思うときが来るわよ。それまでがんばってね。また遊びに来るから」

とろけるバターのような微笑みに、胸が詰まった。

「遊びに来てください」

たぶん来ないだろうと思いながら言った。これまで何人もが「また遊びに来るね」と言い残して辞めていった。そして二度と遊びには来なかった。

もちろん円さんも来なかった。

十六歳の私はまだ未熟で、人との距離の取り方を知らなかった。幼い幻想を勝手に押しつけて勝手に失望し、自由であることのリスクも背負わずに甘い蜜だけを求めていた。

今、思うとすべてが恥ずかしい。

せめてもの救いは、円さんの去った後、私もすぐに〈ラ・ルーシュ〉を辞めるのを思い留まったことだ。円さんの後を追うようでためらわれたのと、清水さんに負けたくないという意地と、森住さんへの義理と、理由はいろいろだが、私はその後も四ヶ月ほどあの店に留まった。

女王蜂のいない蜜蜂の巣は味気なく、清水・小笠原政権下での仕事は窮屈で息が詰まった。以前のようにわくわくした思いでホールに入ることもなくなって、むしろ早く終わらないかと時計の針ばかりを気にするようになった。楽しみといえば、時折プリンを食べにくるレナの軽口くらいのもの。しかし結局のところ、仕事とはそういうものなのだろう。

それでもずるずると続けていくうちに、いくつかの小さな風穴が開けた。私たちを抑圧していた私語の禁止は、清水さんと小笠原さんの視界内のみでのルールとなり、タイムカードのごまかし方にもみんな徐々に長《た》けてきた。あまったケーキは持ち出すと目立つので、二人の目を盗んで詰めこめるだけお腹に詰めこんだ。しまいにはいくつ食べられるかの早食いバトルとなり、私は辞めるまでに四キロ近く太ったものの、職場にはそれなりの笑いが戻ってきた。

小笠原さんが突然行方をくらませたのは、私の辞める数週間前のことだ。何の断りもなしに彼は急に店へ来なくなり、消えるというやり方ですべてを放棄した。社員の荷が重すぎたせいだとか、清水さんの愛が重すぎたとか、様々な憶測が飛び交ったものの、真相は闇《やみ》の中。誰も本気で知りたがりもしなかった。

小笠原さんが抜けたことでホールは清水さんの独裁下に置かれた。実際、清水さんはその小さな世界で自分がどれだけの力を握っているのか、つねに確かめていなければ気が休まらないようだった。そうしたふるまいはホールの私たちのみならず、やがては厨房のシェフたちからも顰蹙《ひんしゅく》を買い始めた。

あの騒動が起こったのはそんな頃だ。

その日は給料日直後の土曜日だったにもかかわらず、夜のホールには五人のアルバイトしかおらず、しかもそのうちの二人は入りたての新人だった。アンチ清水派のベテランが次々と店を去った結果、新人ばかりがやたらと増えていたのだ。

パニックは避けられない事態だった。午後七時を過ぎるなり襲いくるディナータイムの大波を、新人二人を含む五人で乗りきれるわけがない。あんのじょう、ホールは嵐に揉《も》まれる小舟のようにがたがたになった。窓際の席で料理を待つ母娘の顔色などうかがっている余裕は誰にもなかったのだ。

グレイのスーツをまとった上品そうな母親と、高校生の娘の二人連れ。誰が警戒心を抱くだろうか。娘のほうは有名な進学校の制服に身を包み、いかにもおとなしそうなおかっぱ頭をしていた。「いい加減にしてくださいっ」と落雷みたいな怒号がホールに轟《とどろ》いたとき、それを彼女の声と思う者はいなかっただろう。

しかし、彼女だった。白目をむきだして激昂《げっこう》し、彼女はヒステリックに誰かを罵倒《ばとう》していた。その誰かがホール係の私たちであるのに気づいたのは、彼女の乱れたフレーズからなんとか文脈がつかめるようになってからだった。

「お母さんのハンバーグはもうとっくに来ているのに、なぜ私のエビグラタンはまだ来ないのか」

と、癇癪《かんしゃく》を起こしているようなのだ。まるで園児のように地団駄を踏んで、大声を張りあげて。

私たちも、周りのお客さんも、店中の誰もがあっけにとられて沈黙した。彼女の母親はただおろおろとするばかりだった。

「すみません。エビグラタンのほう、すぐに見て参りますので」

私はそう言い置き、厨房へ走ったが、たどりつく前にほかのお客さんに呼びとめられた。

「あの、私が頼んだの、エビドリアなんですけど。これ、グラタンですよね？」

ぎくりとした。見ると、そこにあるのは確かにエビグラタンで、恐らくは今、窓際で激昂している彼女のもとにいくべき運命にあったものだ。が、今ではスプーンを突き立てられて商品価値をなくしている。

「すんません。それ、俺が間違ったかも、です」

背中から新人の山根《やまね》くんの声がした。

エビグラタンとエビドリア……私も以前はよくやった。それにしてもタイミングが最悪だ。

「すみません。すぐにエビドリアのほう、お持ちします」

私はテーブルのエビグラタンを下げ、厨房へ急いだ。森住さんに事情を説明すると、新しいグラタンを焼くのには少なくとも二十分はかかるという。

「とにかく、待ってもらうしかないだろう」

森住さんの声にうなずき、再びホールへと走りだしたそのとき、後ろから「待って」と清水さんの声がした。

「岸本さん、あれ」

清水さんは洗い場の棚を指さしていた。そこには誰かのオーダーミスで戻ってきたエビグラタンが三十分近く放置されていた。

「あれ、森住さんに温めなおしてもらって」

「ばかやろう」

と、森住さんよりも早く癇性の関《せき》さんが怒鳴った。

「そんなこと森住さんがするわけねーだろう、サル」

「でも、やってもらわなきゃ困ります」

「困るなら一生、墓場まで困ってろ。俺たちゃこれでもプライド持って料理出してんだよ。サルの太郎みたいないんちき芝居ができるかっての」

「関さんは黙っててください。岸本さん、早くそれを森住さんに持っていって」

「持っていくな、岸本！」

「持っていきなさい」

「えばるな、えてこう」

「なんですって」

激しくもばかばかしい二人のやりとりをききながら、私は厨房の森住さんを目で探した。すでに新しいグラタンとドリアに取りかかっていた森住さんは、私の視線に気づくと湯気のむこうでしばし手を休めた。ほんの一瞬、目と目で会話をした。森住さんはこっくりとうなずいてくれた。

私は洗い場の棚へ歩みより、冷えきったエビグラタンを手にとって、足下のポリバケツに皿ごと投げ捨てた。

それが〈ラ・ルーシュ〉における最後の仕事になった。

第八章　恋

デートなんて決して楽しいものじゃない。

ときめき、なんて甘いものではすまないほどに胸が騒いで、前日はなかなか寝付かれないから心臓に悪いし、約束の時が近づくにつれて呼吸まで怪しくなるので肺にも悪い。心や体の準備に時間がかかるわりには報《むく》われないことも多く、顔を合わせた瞬間に相手がいつもより長いこと瞬《まばた》きをしただけでも、この服を選んだのは失敗だったのかも……と泣きたくなる。デートの最中も心安らかでいられたためしはなく、トイレを限界まで我慢するせいで膀胱《ぼうこう》はつねに決壊《けっかい》寸前だし、会話の途中で五秒でも沈黙が流れようものなら、その五秒にこれまでのすべてをだいなしにされた気がする。レストランでは食べやすそうなメニューを探すのに四苦八苦。トマトソースに唇を汚されるパスタはパス。囓《かじ》ると崩れるサンドウィッチもパス。ナイフとフォークを使うものには魔物が棲《す》んでいる気がする。よっぽどグラタンが好きなんだねえ、と保田《やすだ》くんに笑われた。

保田くんとはたくさんデートをした。つきあい始めの頃なんて、それこそ週末のたびにどこかへくりだした。渋谷。原宿。上野。浅草。浦安。千葉。津田沼――。時とともに近場へ移ろっていった感は否めないものの、私には場所なんて問題じゃなかった。どのみち私はいつでもどこでも保田くんだけを見ていたし、そうでない時はトイレの所在をチェックしているか、グラタンのありそうな店を探していた。映画もたくさん観《み》たけれど、とてもストーリーを味わうどころではなく、静かなシーンでお腹が鳴ったり、喉《のど》が鳴ったり、それ以外の変なところから音が洩《も》れたりしないか用心するだけで精一杯だった。

一日の終わりには疲労困憊《こんぱい》していた。バイバイ、と別れたとたんにぐったりして、一人になるとほっとした。家の玄関へたどりついた時には靴を脱ぐのも難儀になっていた。

デートなんてまったく楽しいものじゃない。

なのに、またすぐに会いたくなった。

次のデートが待ちきれないほどに。

翌朝、学校で顔を合わせるまでの時間さえもどかしいほどに。

さっき別れたばかりの彼からの電話を息を殺して待つほどに。

それくらい、保田くんが好きだった。


こんなはずではなかったのだ。

と、恋をすると誰もが思うのかもしれない。

十七歳。その響きだけで今でも心がふにゃりとするくらい、あの頃の私はけちのつけどころのない毎日を送っていた。けちのつけどころばかりを探していた厄介な年頃を過ぎて、高校という新しいステージにも慣れ、毎日いやでも「おはよう」と顔を合わせる友達との絆《きずな》も深まってきたあの頃。毎朝学校へ行くのが楽しみで、友達とのくだらない会話が楽しくて、教室でも廊下でも校庭でもずっと笑っていて、笑い疲れた頃にはいつも陽が暮れていた。

恋さえしなければあのまま、ずっと楽しいままでいられたのに……と、思うのだ。でも、そんなのは到底むりな話だったのかもしれない。だってあの頃は私だけでなく、そこいら中の誰もが恋をしていたのだから。

まるで恋の女神が校舎の上空から投げキッスをふりまいているかのようだった。高二になってまだ間もないうちから、まるで学年全体が熱病にでも冒《おか》されたように、猛烈な勢いで誰もが誰かに恋をしはじめたのだ。中には奥手な子だっていたろうけれど、私の仲間内での感染率は一〇〇パーセント。ブームに乗って両思いになる確率も高く、校内には次々と新しいカップルが誕生していた。

かくいう私にも憧れの人がいた。告白だとか、交際だとか、とてもそこまでは考えの及ばないひそかな片思いだ。が、しかしあの頃、ひそかな思いをひそかなところへ封じこめておくのは至難の業だった。

「ねえねえ、岸本さんって、うちのクラスのヤスダが好きなの？」

放課後の美術室で一組の金井《かない》さんから突然声をかけられたのは、私がついに思い人の名前を友達に打ち明けた数日後のことだ。

私は石膏《せっこう》デッサンの筆を休めてしばし硬直した。友達への恋の告白は学年全体への告白を意味する。口止めなんて無駄な努力と覚悟はしていたものの、まさかこんなにも早く広まってしまうとは思わなかった。

「べつに。好きっていうか、気になるっていうか、ほんのちょっとタイプっていうか……」

私は困惑を露《あら》わに口ごもった。

「でも、まだしゃべったこともないし」

「しゃべってみたい？」

「さあ。でもまだ何も知らないし、むこうも私のこと知らないと思うし」

「チャンス作ってあげよっか。私、わりと仲いいんだ。ヤスダと」

でも私はそんなことしてもらうほどあなたと仲良くないでしょう、と言いたい気持ちを抑えて、私はスケッチブックへむきなおった。

「でも、いい。まだなんとなくいいなってだけだから」

「ふうん」

金井さんはつまらなさそうに自分のイーゼルへ戻り、私も平常心を装ってデッサンを続けた。ちなみに、なぜデッサンなどしていたのかというと、私はその当時、美術部に所属していたからだ。

高一の三学期、美術の授業中に油絵を描いていたら、「君には何かがある。やれば必ず伸びる」と顧問の安楽《あんらく》先生に入部を勧められた。「またまたそんなー」と笑って返しながらも、私はその三日後に入部届を出していた。だって、誰かに何かを褒められたのはものすごく久しぶりだったから。

部員といってもさほど熱心なほうではなく、美大に入ろうなんて考えは毛頭なかったから、放課後の美術室を訪ねるのは週に二、三回の程度だった。それでもその時間はまじめに課題をこなしていたし、終わればそれなりの充足感もあった。

時折そっと瞼《まぶた》を降ろし、自分の中の「何か」が「伸びて」いる音に耳を傾けようとする。

たとえ芸大志望の先輩が描いたものに比べれば私の絵なんてがらくたみたいに見えたとしても、それは決して悪い時間ではなかった。

昼休みの教室に金井さんの不穏な笑い声が響いたのは、それから間もない頃だった。友達七人と机を合わせてお弁当を食べていた私がふりむくと、教室の後ろの扉から金井さんが顔をのぞかせていた。

彼女の傍《かたわ》らには見慣れぬ男子の居心地の悪そうな横顔がある。肩をかがめ、せわしなく腰を揺らしながら、時折ちらちらと横目でこちらをうかがっている。その周りでは数人の男女が金井さんと同種のいやな笑いを浮かべていた。

「なに、あれ」

「なんだろね」

私たちが眉を寄せているうちに居心地の悪そうな男子は去り、残りの一団もその後に続いた。

教室の扉から、今度は金井さん一人が顔をのぞかせたのは、私たちがお弁当に蓋《ふた》をした頃だった。金井さんははずんだ足取りで歩みよってくるなり、私の耳元にささやいた。

「ねえ、かわいいってよ」

「誰が？」

「岸本さん。ヤスダが、かわいいって」

「へ？　誰が？」

「だから、ヤスダ。ヤスダケンイチよ。さっき一緒にいたじゃない。『どんな子か見たい？』ってきいたら、ちょっと興味ありそうだったから、連れてきてあげたの」

ヤスダケンイチ。

遠い異国の川の名前でも諳《そら》んじるように、私はその音を頭でくりかえした。くりかえしても、くりかえしても、それは依然として遠かった。

なぜなら、私が憧れていたのはヤスダアツシだったから。

「ヤスダ……ケンイチ」

似て非なるその名を前にして、私はただただ呆然《ぼうぜん》とお弁当箱の蓋を見下ろした。

周りの七人も事態を察して沈黙した。

それはヤスダちがいだよ金井さん、と容易に声も上げられないほどに、誰もがこの大勘違いに不意を衝《つ》かれていた。

校舎や、校庭や、通学路のどこかですれちがうたびに、保田くんがちらちらと私に視線を送ってくるようになったのは、それからだった。

私の憧れていた安田敦史《やすだあつし》くんではなく、その存在さえ知らずにいた保田健一くん。彼が誤解をしているのは一目瞭然であり、誤解をするなというほうが無理な注文だった。

恐らく私はあのとき、金井さんを追いかけて言うべきだったのだろう。私が好きなのは健一ではなくて敦史のほうだ、と。お節介を焼くのならせめて慎重に焼いてくれ、と。

でも、私はどちらかというと保田くんに与えた誤解より、金井さんに与えた誤解のほうに気を取られていた。

なぜ金井さんはヤスダ＝保田と思いこんだりしたのだろう？

同じ早合点でも逆なら話はわかった。安田敦史くんは長身で、ハンサムで、サッカー部のエースで、モテモテで、私服のセンスにも定評がある一組の輝ける太陽だったからだ。保田くんのほうは……というと、やや背は低めで、顔もまあ普通で、バレー部の補欠で、あまりモテそうになく、くすんだ色の靴下なんかを穿《は》いている地味な惑星の一つにすぎなかった。一組のヤスダといえば保田よりも安田と相場が決まっていたのである。

あるいは、金井さんは無意識のうちに自分の中で釣りあいを測っていたのかもしれない。つまり、四組の岸本紀子に見合うのは安田敦史ではなく保田健一のほうだ、と。

だとしたら悪意あるいやがらせよりも余計に腹が立つが、さらに腹立たしいことに、そうした思いは少なからずみんなの胸の内にあるようなのだった。

学校のどこかで顔を合わせるたびに互いを意識しあい、瞳を合わせあったり、逸《そ》らしあったりしている私と保田くんを見ているうちに、私の友人たちのあいだには「この際、保田でもいいじゃないか」という妥協が生じてきたようなのである。どう考えても安田敦史より保田健一との恋のほうが成就《じょうじゅ》の可能性が高いし、仲間内の恋愛は成就したほうが盛りあがる。「O型の紀子はO型同士の安田だと意地を張りあって衝突するから、温厚なA型の保田とのほうがうまくいく」と友達の一人は言い、「星占いでも安田より保田のほうが相性グー。安田とつきあうと紀子はいつか泣かされる」と友達の一人は言い、「四柱推命でも保田に軍配が上がる。安田敦史は外見だけの空っぽな男」と友達の一人は言い、「占いに頼らなくても見ればわかる。そもそもなんで紀子が安田を好きになったのかわからない」と友達の一人は言った。

無責任きわまりない放言である。が、確かに一理あると認めざるを得ないところもあった。安田くんは長身でハンサムでサッカー部のエースでモテモテで私服のセンスにも定評のある一組の輝ける太陽だったが、性格は目も当てられないほど悪く、おまけに女癖も最悪で、泣かされた女の子の数は阿修羅《あしゅら》の指でも数えきれないと言われていたのだった。

でも、だとしても、そんなに簡単に憧れの人を交換できるものだろうか。

同じヤスダというだけで、するりと入れ替えがきくものか。

周りにあれこれ言われれば言われるほど、私はどこかしらかたくなになった。保田くんを庇《かば》いたくなったし、保田くんを遠ざけたくなった。保田くんとすれちがっても絶対に目を合わせないように努めたり、保田くんの気配を察知するたびにくるりと踵《きびす》を返したり。

けれどもう遅かった。逃げても逃げても保田くんの視線は追ってきて、人違いのまま動きだした歯車を止めることはもはやできなかった。

そして私の胸奥にも、本当のところ、金井さんに告げられたあの一言が深々と根を張っていたのである。

――岸本さん。ヤスダが、かわいいって。

初めて保田くんと言葉を交わしたのは六月の半ば、例の誤解が生じてから二週間ほど経った頃だった。梅雨晴れの空には初夏のきらめきが広がり、雲一つないその青を焼却炉から立ちのぼる黒煙が濁していた。

掃除の時間、私はその焼却炉をめざして教室のゴミ箱を運んでいた。風に泳ぐ煙が目に染みてきたあたりで、急にどきんとして、歩幅が狭まった。

火掻《ひか》き棒を手にした保田くんが焼却炉にゴミを放る係をしていた。

胸が騒いで、痛いほどだった。ついには足が止まり、いっそ引き返そうかと後ずさったところで、保田くんと目が合った。保田くんは怖いほどまっすぐにこちらを見つめていた。

私は観念してぎくしゃくと歩みより、どうか臭いものが入っていませんようにと祈りながら保田くんにゴミ箱を手渡した。

「お……願いします」

目の前で炎が躍っているのに、緊張で体がひんやりした。保田くんはゴミ箱の中身を焼却炉にぶちまけ、何度か揺すって、私にひょいと返した。

そして言った。

「『台風クラブ』って映画、知ってる？」

「え」

「今度、一緒に観に行かない？」

初めてのデートはとにかく緊張して、何がなんだかわからなくて、保田くんの顔を正視できなくて、会話もぎこちなくて、やたらと口が渇いて水ばかり飲んで、トイレに二回も立ってしまったし、きっともう二度と誘われないだろうと帰宅後にはてしなく落ちこんだ。

トリとの会話は弾んだし、茅野勇介とだって気さくに軽口を楽しめた。なのに、どうして保田くんはダメなんだろう。なぜ保田くんの前だと気のきいた文句の一つも言えず、頭の悪そうな受け答えしかできないんだろう。きっと保田くんはあきれはてて失望したはずだ。

と思いこんでいた私は、その夜遅くにかかってきた保田くんからの電話に心底驚いた。

「今日はありがとう」と、どんな雑誌で仕込んだのやら、保田くんはデート後の常《じょう》套句《とうく》をきっちりと口にした。「楽しかったよ」

「あ、あたしも」

「ほんと？」

「うん」

「じゃあ良かった」

「………」

「あの、それでその……今度の日曜日も、もし空いてたら、またどっか行かない？」

マニュアル通りだっていい。誰かの受け売りでもかまわない。今日の自分はそんなにダメでもなかったのかもしれない、と思えただけで、私はころりと回復した。好きだとか、恋だとか、このときはまだそんな段階でもなかったにもかかわらず、心が晴れ渡った。

「うん。行きたい」

「ほんと?」

「うん」

「じゃあ、どこに行きたいか考えておいて」

「うん」

「じゃあね」

「うん」

こうして保田くんは私の彼になり、私は保田くんの彼女になった。

最初は週に一度きりだった保田くんからの電話が、次の週には二度、さらに翌週には三度に増えて、気がつくと二日に一度になっていた。そのうちに私からも電話をかけるようになり、ついには毎日の黙約と化した。

電話といっても五分か十分程度の短いもので、依然として会話は盛りあがらなかったし、本当のところ女友達との長電話のほうがよほど楽しかったけど、男の子との電話は女の子とはちがう何かを私に与えてくれた。

一日の終わりに保田くんの声をきく。ただそれだけで私は満ち足りた。その日にあった小さな出来事――美術部の先輩に褒められたとか、帰りに友達とアイスを食べたとか、家でクッキーを焼いたとか――を逐一報告する相手のいる歓《よろこ》び。安らぎ。誇らしさ。調子づいた私はやがて保田くんに報告するために料理をしたり、手縫いの枕カバーを作ったり、やたらと家庭的なことに精を出すようにまでなった。私の恋が家族から祝福されたのは言うまでもない。

保田くんはシャイな男の子だったから、私たちの関係が学年中に知れわたってからも、学校で目立ったアプローチをしてくることはなかった。どこかで顔を合わせれば軽く手を挙げて微笑むし、私から声をかければ応《こた》えてくれるけど、自分から積極的に話しかけてきたりはしない。それでも毎夜、コードレスフォンからきこえてくる保田くんの声は、私を不安の闇《やみ》から遠ざけておくだけの魔力を秘めていた。

これだ、と私は甘い恋の最中《さなか》に何度思ったかわからない。それ以前の私は一種のフィーリングでトリに惹《ひ》かれたり、一時のインスピレーションで茅野勇介に揺らめいたりしていたけれど、恋において本当に重要なのはこういうことなのだ。

毎日の会話。

間断のない関係性。

それを保つための相互努力。

すなわち、この広い世界でこの人とだけは確実につながっている、と互いに思わせ続けること。

もしかしたらトリも私に惹かれたことがあるかもしれないし、茅野勇介だって一瞬くらいは私に揺らめいたことがあったかもしれない。が、それは本当に一瞬のことで、次の瞬間には新しい何かに吹き飛ばされてしまい、結局、あとには何も残らなかったではないか。フィーリングやインスピレーションがなんだろう。たとえ気が合わなくても、話がはずまなくても、沈黙が続いても、毎晩、電話をしてくれる男の子のほうが良いに決まっている。

そんな考えを抱きはじめた頃から、私は殊更《ことさら》に「毎日の電話」や「週いちのデート」にこだわるようになった。保田くんから連絡のない日は二度も三度も電話をかけたし、保田くんが日曜日、バレー部の試合でデートができないと言えば、じゃあ平日の放課後でもいいからどこかへ行こうと提案した。それが献身的な彼女のあり方というものであり、この良き関係性を維持する秘訣《ひけつ》だと信じて疑わなかった。

まさかそれがまったくの逆効果をもたらすなんて、当時はどうして思ったろう?

初めての彼だからわからなかった。

恋の翳《かげ》りに気がつけなかった。

追えば逃げるの法則も、出し惜しみの知恵も、恋の炎は三ヶ月目がピークで徐々に下火になっていくものだから細心の注意が必要という教訓も、まだ何一つ身につけてはいない最初の恋愛だったから。

雲上に広がる本物の空を見る前に下降を始めた飛行機のように、私たちの恋はにわかに傾いた。あれよあれよという間のことだった。甘い幸福に浸っていられた日々は、実際、三ヶ月ともたなかった気がする。

夏休みが明けて、大島や新島で焼いてきた友達の肌も褪《さ》めはじめた頃から、保田くんは大学受験のための予備校へ通いだし、バレー部との両立でめっきり忙しくなった。それに比例して私への電話も少なくなり、私から電話をしてもそれまでのように明るい声を返してくれなくなった。これから予備校の宿題があるから。お風呂に入るから。喉が痛いから。なんだかんだと理由を並べて早々に切られてしまう。それでもまだ私は何が起こっているのかわからずにいた。

彼は本当にものすごく忙しいのだと信じていたのだ。

今は試練のとき。恋の真価が問われている。

私はより一層、二人の関係性の維持に精励し、誠心誠意、全身全霊を傾けて電話をかけ続けた。日増しに留守がちになっていく保田くんをなんとか捕まえようと躍起《やっき》になり、それでも捕まらない夜には「何時まででも待ってます」のメッセージをお母さんに託した。保田くんのお母さんは次第に私の声をきくだけで「ごめんなさいねえ」と悲愴《ひそう》な声を出すようになっていった。

週に一度のデートもみるみる短くなって、最初のうちは午前十時に待ちあわせをしていたのが、正午になり、三時になり、やがては六時から一緒に夕飯を食べるだけになった。ついに「今週はどうしても時間が取れない」と言われたとき、それでも私は週いちのデートだけは死守しなければならないと焦り、十分だけでもいいから、と保田くんの家から徒歩三分の公園まで駆けつけた。どうしても保田くんに会いたかったし、会う必要があると思った。デート中の保田くんから笑顔が消えて、難しい面持《おもも》ちで黙りこむことが増えても、それは彼があまりに忙しすぎるからであり、私はもっと頻繁《ひんぱん》に電話をしたり、デートをしたりして元気づけてあげるべきではないかと真剣に考えた。

もうとっくに着陸しているというのに、滑走路を無駄に、無制御に暴走し続ける飛行機みたいだ。

これはちょっとおかしいのでは……との思いが初めて頭をよぎったのは、木立の青も沈む十月の初頭。保田くんとの電話が二日間にもわたってとぎれたときだった。

あの二日間の重さ、長さといったら、まったく地獄の沙汰《さた》だった。何度も何度も電話して、何度も何度もメッセージを伝えたのに、保田くんは一向に電話を返してくれなかった。

　三日目の昼休み、私は意を決して保田くんのいる一組を訪ねた。教室の戸口から様子をうかがっていると、保田くんよりも先に周りの男子たちがふりむき、ヒューヒューと幼稚な囃《はや》し声を上げはじめた。保田くんはしばらく弱った顔でうつむいていたけれど、やがて食べかけのお弁当をそのままに、のっそり席を立って私のもとへ歩みよってきた。

「なに？」

「電話……くれないから」

「ごめん。忙しくて」

「うん。そうだと思ったけど……」

「……」

「……」

「ちょっと、ここじゃアレだから」

　教室からの好奇の視線をかわすように、保田くんは私を校舎の屋上へ連れだした。

　肌寒い屋上にはスナック菓子をほおばる女子たちや仲睦《なかむつ》まじく寄りそうカップル、花札をしているグループなどの姿があった。保田くんは人目を避けるようにずんずん隅のほうへとむかっていったけど、私は別に誰のことも気にならなかった。空も雲も風も気にならなかった。

「前にも言ったかもしれないけど、来月からバレーのトーナメント戦が始まるんだ。それで今、ますます練習がハードになってきて、そのぶん土日は勉強やらなきゃいけなかったりして、岸本には悪いと思うけど、なかなか電話できなかったりして……」

錆《さび》の浮いたフェンスに背を沈めて、保田くんはぼそぼそと言い訳した。

「それで、これからますます忙しくなると思うし、あんまり会えなかったり、電話もますますできなかったりすると思うし。それで、だからなんていうか、俺もちゃんとしなきゃいけないのかなって、ずっと考えてはいたんだけど……」

「ちゃんとするって？」

「だからその、こんなふうに中途半端につきあっててもかえって岸本に悪いっていうか、いやな思いをさせるだけっていうか……」

「そんな……そんなことないよ、全然！」

私はびっくり仰天した。保田くんが私に悪いと思っていたなんて！

「私、保田くんがバレー部がんばってるのえらいと思うし、すごいと思うし、応援してるし、勉強だって、大学のためには今からやらなきゃいけないってわかるし、だから我慢するし、それも大学合格するまでのことだし……」

「まだ一年半あるんだよ」

「私も一緒にがんばる」

「でも俺、何もできないし」

「でも毎日声をきいたり、毎週ちょっとでも会えるだけでいいから」

「でもそれも難しくなってきたし」

私たちの会話がこんなにも熱を帯びたのは最初で最後だったかもしれない。どちらも同じくらい必死で、でも完全に逆の方向をむいていた。

「だからその、トーナメント戦とか、塾の模試とか、うちの猫も病気だし、それでとにかくその……もう毎日電話したり、毎週会ったりするのは難しいと思う」

保田くんが切り口上で言いきったその直後、昼休みの終了を告げるチャイムの音がスピーカーから響いた。保田くんは救いの鐘でもきくように初めて笑みを浮かべ、さっと足を踏みだした。

「じゃ」

私を促すこともなく校舎へと引き返していく背中。

そのすげない早足。

冷ややかな足音。

これだけ明白な意思表示をされておきながら、それでもなお、独り残された私はすがるような盲目さで一つのことだけを考え続けていた。

保田くんは果たして何を言いたかったんだろう？

その夜、私は保田くんの言いたかったことを自己流に解釈した上で、ほとんど寝ずに一通の手紙を書きあげた。

『保田くんへ。

今日はお昼休みに話をしてくれてありがとう。このごろゆっくり話をしてなかったから、お互いの気持ちを話し合えて、良かったと思います。

保田くんがバレーのトーナメント戦に賭《か》けてる気持ち、よくわかりました。3年になると部活にもあんまり出られなくなるし、今のうちだから、後悔のないように一生懸命がんばってほしいと思います。私も一生懸命、応援するからね。

あと、保田くんが大学受験のためにがんばってることもわかりました。私は勉強が嫌いなので大学は行かないけど、男の人はやっぱり学歴とかあったほうがいいというし、社会に出てからそのほうがいいみたいだから、保田くんにはがんばってほしいと思います。

大学に合格したらパーッとお祝いしようね。それからゆっくりといろいろな所へ行きましょう。だって保田くんと行きたい所がまだまだいっぱいある。

でもね、私たちはまだ高校生だから、そんなにあせらなくていいのかなって、思ったの。後楽園も、サンシャインも、サザエさん美術館も、逃げないしね。まだまだ人生は長いから、保田くんとならいろんな所に行けるし、いろんなものが見れるよね。同い年でよかった。

だから電話も、デートも、保田くんが大変なら、そんなにわがままは言わないことにしました。たしかに毎日電話したり、毎週デートしたりするのは、今の保田くんにはいそがしすぎて無理かもしれないね。

だから電話は2日に1度、デートは1ヶ月に3回にしませんか？　1ヶ月に3回がむりなら、2回でも（でもなるべくなら3回）。そうすると今までみたいになかよくはできなくなるけど、でも、そのぶん私は保田くんに手紙を書くことにしました。

というわけで、これが記念すべき第1回目の手紙です。明日、1組に渡しにいくつもりだけど、もし保田くんがはずかしかったら、これからはげたばこに入れておきます。

今日は電話しなかったから、明日は電話で話そうね。2日に1度は必ずね。どうしてもできないときは、できないと電話をくれたらうれしいです。そうしないといつまでも待ってしまうから。

保田くんとまた話をするのを楽しみに楽しみにしています。

それではまたね。
P・S① 今、クリスマスへむけて、保田くんのセーターを編んでるの。家庭科の授業で提出するやつだけど、もどってきたらプレゼントするから、お楽しみに！
P・S② ネコちゃんの病気が早くよくなるように、神さまに祈ってます。
FROM NORIKO』

手紙の返事は来なかった。その後も私は五、六通の手紙を保田くんの下駄箱に忍ばせたが、一度として返事はもらえなかった。電話さえも容易にはつながらなくなって、二日に一度どころか週に一度の会話さえもままならなくなった。

それでも私はまだまだ待っていた。いつ保田くんから電話があってもいいように、外出を控えてじっと家にいて、入浴の時間も遅らせて。どうしても断れない予定の入った日は、帰宅後に家族の全員に声をかけ、どうでもいいような話をしながらしげしげと、食い入るように彼らの表情を観察した。ね、何か忘れてない？　私のいないあいだに保田くんから電話があったんじゃないの？

もしかしたら居留守を使われているのかも、と思ったことがないわけじゃない。でもそのたびにいけない、保田くんを疑《うたぐ》るなんて、と全力で否定した。だからあの夜、受話器のむこうから保田くんとお母さんの口論がきこえてきたときは本気で耳を疑った。

普段は「ごめんなさいねえ」とくりかえすだけのお母さんが、その日に限って「ちょっと待っててね」と低く言い置き、数十秒後にその口論が始まったのだ。

お母さん、もういやよ。かわいそうじゃない。自分でなんとかしなさいっ。切れ切れに拾えたのはもっぱらお母さんの声だけだったものの、どんなに鈍くても、どんなに目を逸らしても、否応《いやおう》なしにその情景は浮かんできた。

私は無言でコードレスフォンの電源を切り、おかしな震えに身を任せた。頭がぐらぐらして、指の先が冷たくなった。いっそ泣いたら楽になるのかもしれないと思いつつ、全力でこみあげてくる涙と闘った。なぜならこれは決して、決して泣くようなことではないのだから。

今日の保田くんはとても疲れていた。今日に限って。思わず居留守を使ってしまうほどに。それだけのことだ。絶対にそれだけのことなのだ。

しかしさすがにその後の三日間は怖くて受話器に手が伸びず、でも保田くんが電話を待っていたらどうしよう、バツが悪くて自分からはかけられずにいたらかわいそう、などとこの期《ご》に及んで懊悩《おうのう》していたところにとどめを刺すように起こったのが、四日後のあの事件だった。

あの日は朝から一日中、ジャージ姿の全校生徒がうようよとグラウンドにひしめいていた。走ったり、跳んだり、綱を引いたり、大声でわめきちらしたり。体育祭だったのだろう。終始ぼんやりしていた私にはすべてが他人事《ひとごと》で、赤が勝とうが白が勝とうが、目の前でどんな接戦がくりひろげられていようが、気がつくといつも砂煙の中に保田くんの姿を探していた。

一つだけ目を奪われた種目がある。二年生男子による百メートル走だ。ほかのレースと同様、この種目でも三位以内に入った生徒は胸元にリボンを飾られることになっていた。一位は赤。二位は黄色。三位はピンク。小学生でもあるまいし、などとうそぶきながらも、入賞者たちはその勲章をそれなりに有効利用していた。好きな子や気になる相手にリボンを贈るのだ。

保田くんが三位でゴールしたその瞬間から、私は彼の胸元にちらつくピンクのリボンから目が離せなくなった。昼休みにいったん教室へ引き返していくあいだも、昼食後に再びグラウンドへくりだしていくときも、午後の競技の最中も、私は一定の距離を置きながらも保田くんをつけまわし、その胸元にまだリボンがあるのを確認した。閉会式ともなるともうリボンをつけている男子は稀《まれ》で、代わりに誇らしげに胸を張る女子の姿が目立っていたものの、保田くんの胸元にはまだピンクのひらひらが残っていた。後生大事にいつまでも……ダサ、と思えるくらいの平常心が私にあったなら、まだ救われていたはずなのだが。

私はいつものようにただひたすら待っていただけだった。保田くんが私のもとへ歩みよってくるのを。いつも待たせてばかりでごめんね、とピンクのリボンを差しだしてくれるのを。待って、待って、待ちくたびれて、でも結局はいつものように待ちきれなくなって、また自分から追いかけてしまった。

体育館へと続く渡り廊下の途中で、放課後の練習にむかう保田くんを見つけたときだった(というか、張っていたのだが)。保田くんの胸元からピンクのリボンが消えているのを見るなり、私は「入賞おめでとう」とまずはにっこり微笑むつもりでいたのも忘れ、露《あら》わな地声を上げていた。

「リボンは?」

保田くんはおなじみの弱った顔をして言った。

「ごめん。後輩の子に取られちゃった」


その日は明け方まで泣き明かし、翌日も終日めそめそめそめそと隙《すき》あらば泣いて、三日目になっても涙は一向に衰えることがなかった。家族の耳も気にせずに号泣《ごうきゅう》したのは何年ぶりだろう。さすがに学校のみんなの前では理性を保っていたものの、代わりに薄暗いロッカー室で膝《ひざ》を抱えて泣き濡《ぬ》れた。事情を知っている友達は私を好きなだけ放っておいてくれたし、ありがたいことにその当時、恋に病んでいたのは私だけじゃなかった。授業中、こみあげる涙をこらえきれずにロッカー室へ逃げこむと、そこではすでに先客が膝を抱えて泣いていたりもした。

ちょうど一時の恋愛ブームで誕生したカップルが次々と破綻《はたん》していた時期だった。友達の一人は泊まりの旅行を拒んだためにふられたと泣いて、友達の一人は相手の気持ちがわからなくなって自分からふったものの、別れても彼のことが忘れられないと泣いていた。友達の一人はデートの前に逃げだしたいほど緊張し、実際、なぜか銚子《ちょうし》の犬吠埼《いぬぼうさき》まで逃げだしてしまい、デートをすっぽかされた相手から絶縁宣言をされて、独りで銚子へ行くほどのバイタリティがあったならなぜ彼と向きあえなかったのかと泣いていた。十代の恋愛なんてうまくいくほうがどうかしている。

私には彼女たちのように「これだ」という決め手があったわけではなく、ただ気がつくと恋が暗転していただけだから、さめざめと涙を流しながらも、本当のところ、自分がなぜ泣くはめになったのかわかっていなかった。

なぜこんなことになったのか。

なぜ保田くんは変わってしまったのか。

この広い世界でたった一人、保田くんとだけは確実につながっていたはずなのに、なぜこんなにも早く、こんなにももろく断ちきられてしまったのか。

考えては泣き、泣いては考えているうちに、一週間で三キロ体重が落ちた。憔悴《しょうすい》した私を本気で心配しはじめた友達には「保田くんを見返すためにりんご酢ダイエットを始めた」ことにしておいたものの、内心はまだ未練たらたらで、あともう少し痩《や》せたら保田くんも私を心配してくれるかも、などとバカな期待を払えずにいた。やっていることと、考えていることと、すべてがとんちんかんだった。鬱々《うつうつ》とした夜、ふと気がつくとコードレスフォンに手を伸ばしていたり、そのたびに「もうダメなんだ」と根気強く自分に言いきかせたり、電話が鳴るたびに「今度こそ保田くんだ」と腰を浮かせたり、受話器を取った母が長話を始めてもなお、「お母さんは保田くんと長話をしているのかも」と耳をそばだてたり。

　なにしろ頭の中は保田くん一色だったから、それがなくなるということは、頭が空っぽになるということだ。二週間、三週間と日が経つにつれて、少しずつ保田くんのことを考えない時間も生じてきたけれど、かといってほかの何かがそこを埋めてくれるわけでもなく、ただ色も音も香りもない真空が広がっていくだけ。その真空が順調に広がり続ければ、私は抜け殻のようになるかもしれないけれど、少なくとも保田くんを思って苦しむことはなくなるだろう。私たちの関係は私が保田くんを思って苦しむことで成り立っていたようなものだから、そうなるとこの恋は完全に終結する。それを思うとほっとする反面、もっともっと保田くんのことを考え続けなければならないような焦りにも駆られた。保田くんを忘れたいのか忘れたくないのかわからなかった。

つまるところ、私はまだどこかで奇跡を待っていたのだろう。

運の悪いことにクリスマスが近づいていた。日本はバブルの直中《ただなか》にあって、テレビのニュースでは高級ブランドのプレゼントを買い漁《あさ》るカップルや、一年前からヒルトンのスウィートを予約済みなんですよね俺、などとのたまう男の姿などが報じられ、街を歩けばそこかしこでバカップルたちがバカ騒ぎをくりひろげている。日本は仏教の国であり、そもそもクリスマスとは家族で過ごすもので……などといくら理屈をこねまわしたところで、独りきりで過ごすクリスマスの重圧にはなんら変わりがなく、自己憐憫《れんびん》に浸ることなくこの時期をやりすごすのは難しいことだった。

日に日に色めいていく町並み。

年に一度のお祭りに華やぐ人々。

こぢんまりとした八百屋の店先にさえ顔を出すもみの木の、その葉を七色に彩るイルミネーション。

その聖なる光の中に奇跡への最後の望みを見出さずにいるのは、たいへん難しいことだった。

しかしもちろん、奇跡などそう簡単に起こるものではなく、結論からいって、私はそれまでの十六年間と変わりばえのない聖夜を迎えることになった。

家族四人で過ごすクリスマス・イヴ。子供の頃はそれがなんと楽しみで、待ち遠しかったことだろう。そしてある年代に差しかかってからはそれがなんとみじめで、屈辱的なイベントに成りさがったことだろう。

テレビ台の上で鏡餅と肩を並べる極小ツリーや、父が駅の特売コーナーで買ってきたクリスマスケーキ。そして今から思えばただの照り焼きにすぎなかったローストチキン。そのすべてが例年通りのいんちき臭さで私の気を滅入らせ、鳴らない電話への未練をかきたてた。

保田くんは予備校のはずだから鳴るわけがないのに。でも、休み時間までは予測がつかないから、一瞬たりとも気は抜けない。そうして電話ばかりを気にしていたら、途中で疲れて、情けなくなった。年末の大掃除にまつわる母の愚痴にも、クリスマスにまつわる父の中途半端な豆知識にも疲れて、私が食卓の席を離れたのは七時をまわったあたりだろうか。

テレビでも観て気を紛らせようと隣室へむかうと、後から姉もついてきた。きこえよがしなため息にふりむくと、「なんか疲れる」と姉は苦笑して、

「クリスマスの料理って、なんか疲れない？　アジアの食文化にはそぐわないっていい

うか。日本人はやっぱお米が一番っていうか」

「そうかな」

「だいたいクリスマス自体なんかもう無理があるっていうか、昔はお父さんとお母さんが私たちを喜ばせるためにやってくれてたけど、今じゃ私たちが二人のためにひと肌ぬいでるって感じだよね」

「そうかなー」

「そもそもなんでこうもイヴがもてはやされちゃうかな。二十五日の立場はどうよ。日本人が元旦より大晦日《おおみそか》を盛大に祝ったことがある？　エイプリルフールの前日にうそついたことがある？」

「……ま、お姉ちゃんも、早く新しい彼氏ができればいいね」

「あんたに言われたくないよ」

二人してむっとしながらテレビをつけると、ちょうどクリスマス・スペシャルの九十分ドラマが始まるところだった。『白い恋人たち――イヴの鐘が鳴るまでに』。イヴに見放された私たち姉妹がそんな番組を観る気になったのは、恐らくお気に入りのタレントでも出演していたせいだろう。

今思えば、ありきたりのつまらないラブストーリーだった。愛しあう男と女がいる。そこに横恋慕《よこれんぼ》の性悪女が登場し、根も葉もない作り話を男に吹きこんで二人の仲を裂こうとする。急に冷たくなった男に当惑し、思い悩む女。その女を励ます会社の二枚目上司。その光景を垣間《かいま》見た男は二人の関係を誤解して女に別れを告げる。絶望する女。泣く。泣く。泣く。酒に逃げる男。飲む。飲む。飲む。そうこうしているうちにクリスマスが訪れる。聖なる夜、都会での生活にも疲れて実家へ戻ろうとしていた女は、友人から男がパリへ発とうとしていることを知らされる。女は空港へ駆けつけ、すんでのところで男を捕まえる。男の手から滑り落ちる旅行バッグ。めでたく誤解も解け、抱きあう二人。もうパリなんてどこ吹く風の熱いキス。

陳腐で、お手軽で、都合のいい物語だ。

が、エンディングテーマが流れはじめた頃、十七歳の私はめくるめく感動の渦に身を任せていた。

こんなこともあるのだ、と。愛しあう二人が誤解によって引き裂かれ、離ればなれになってしまうことがあるのだ、と。しかし、愛の力は強い。どちらか一方がほんの少しの勇気を出せば、誤解は解け、すべては元の通りになる――。

勇気。

そう、私と保田くんに欠けていたのは一握りの勇気ではなかろうか。

目に入るもの耳に入るもののすべてを保田くんと結びつけて考えずにはいられない時期だった。音楽を聴いても漫画を読んでも流れる雲を仰いでも、私は世界の中心である保田くんとそれらの接点だけを探っていた。保田くんへ踏みこむための足掛かりを。あるいは、つけいる隙を。

そうだ、保田くんが冷たくなったのはどこかの性悪女のしわざか、あるいはちょっとしたすれちがいのせいだったのかもしれない。二学期の席替えの後、新しい椅子の脚がガタガタすることで生活委員の前川くんに相談した、あの光景を保田くんに見られていたのかもしれない。そんな小さな誤解の積み重ねだったのかもしれない。

だとしたら保田くんも、心の底ではきっと、今この瞬間も、私を待っているはず――。

胸の奥で何かが躍動を始めた。ドラマの終了後、出演者たちが主題歌プレゼントのお知らせを始めた頃には、私はもう一分たりともじっとしていられなくなっていた。時計を見ると、八時二十四分。保田くんの予備校は九時に終わるはずだから、電車で最寄りの駅に降り立つのは九時半すぎだろう。

今ならまだ間に合う。

保田くんのために編んだセーターを抱え、フードつきのブルゾンをはおって、私は家を飛びだした。九時まで来ないバスを待つのももどかしくて、駅までの長い道のりを久々に自転車で駆けぬけた。白いスカートの裾《すそ》を翻す私の頭の中には、もちろん山下達郎の『クリスマス・イブ』が流れていた。

ようやく駅に着いたのは九時十分、そこから二つ下った保田くんの最寄り駅に降り立ったのが九時二十一分だった。ぎりぎりセーフ。私は改札の前で白い息を吐きながら保田くんの帰りを待ちわびた。

上りの電車が二度、下りの電車が一度停車した。そのたびにケーキの箱やら花束やらを抱えた人々が目の前を通りすぎていく。人波の引いた駅にはにぎわう街からしめだされた静寂のみが吹きだまり、その冷気に心がくじけそうになった頃、二度目の下り電車が到着した。

ぱらぱらとホームからの階段を上ってくる乗客たち。その中に待人《まちびと》の姿を見たとき、私は一瞬にして自分の致命的な思いちがいを悟った。誤解をしていたのは私のほうだったのだ、と。

保田くんは赤いダッフルコートを着た女の子と一緒だった。

かわいいラッピングなんてしてこなくて良かった。真っ赤なリボンなどかけなくて良かった……。

出がけに大慌てでラオックスの紙袋へ押しこんだブルーグレイのセーターを膝に載せ、吹きさらしのホームで唇をがくがくさせながら、いったい何台の電車を見送ったことだろう。涙が突きあげるたびに私は全力で押し戻し、となりで息を殺している保田くんの横顔を盗み見た。

本当は走って逃げたかった。もうこれ以上みじめにはなりたくなかったから、何事もなかったようにそこから消えたかった。なのに保田くんは私に気づいて、追ってきた。ホームへの階段を駆け下りたところで追いつかれ、しかたなくベンチに腰かけた私の横に保田くんも座って、気がつくと赤いコートの女の子は消えていた。

あの子はどこにいるんだろう。

かじかんだ指先の痛覚だけがまともな神経を保っているような、心許《こころもと》ない混乱の中で私は考えた。あの柱の陰や、あの売店の裏から様子をうかがっているのか。それともあの子は私みたいな真似はせず、どこかで決然と、確信して、保田くんを待っているのか。体育祭でもらったピンクのリボンをポケットのどこかに忍ばせて。

快速電車が一台、むかいのホームに停車して乗客をはきだし、再び夜陰を切り裂いていった。その青い車体をながめていたら、十二歳の春休み、春子やクー子と乗った特別快速を思い出し、危うく涙に負けそうになった。何も知らずにいたあの頃は良かったなんて思わない。でも、せめて保田くんのことだけは知らずにいたかった。保田くんを知らずに十七歳になった春子やクー子がうらやましい。まだ保田くんなどいなかった過去までが、思い出までが保田くんに絡《から》みついて私を苦しめる、もうこんなのはたくさんだ……。

「岸本は……」

私の手の甲にぽつんと鼻水が落ちたそのとき、保田くんが口を開いた。

「岸本が好きだったのは、ほんとは、安田敦史のほうだったんでしょ」

今のは涙だったふりをしていたのも忘れ、私は洟垂《はなた》れの顔をぽかんと持ちあげた。

「どうして」

保田くんがその事実を知っていたことよりも、そんな昔の、今となってはなんでもないような話を今さら持ちだしてきたことに「どうして」と思った。

「そんな……」

気がつくと狂ったようにぶるぶる頭をふっていた。

「そんな、でもそんなのは最初の……ほんとに最初だけで、それもちょっとだけで、私の好きなのはずっと、ずっと保田くんだけで……」

高ぶる私を鎮《しず》めるように、保田くんは「うん」とうなずいた。まったく嫌味のない素直な肯定だった。

「うん。それはわかる。それは、わかった。岸本の気持ちはすごくわかったし、こんなに好きになってくれて嬉しかったし、だからつきあったきっかけとか、そういうのは関係ないって、気にしないようにって思ってたけど、でも、時々すごく……」

「すごく?」

「すごく、わからなくなった。岸本がなんで俺を好きなのか。俺のどこを好きなのか」

「…………」

「デートとかしてても、岸本、いつもなんか上の空っていうか、そわそわしてる感じだし。映画のあとで俺が感想とか言っても、岸本は黙ってて、なんかこう、話し合ったりもできないし、楽しいのか楽しくないのかもわかんないし……。いつも何考えてるのかわかんなくて、どんどんわかんなくなって……」

脱力のあまりころころと魂が転がり落ちそうだった。

デート中にそわそわしていたのは舞いあがっていたからなのに。映画も頭に入らないくらい、楽しいのか楽しくないのかもわからないくらい、それくらい保田くんが好きだったのに。

なのに、どうしても、こんなときでさえも保田くんの前では言いたいことが言えない。

「あの子は……」

そして気がつくと言いたくもないことで沈黙を埋めている。

「じゃあ、さっきのあの子のことはわかるの？　すごくよくわかるの？」

保田くんはそれには答えずに目を伏せた。

「うちの高校の一年生で、塾も一緒で、だから時々一緒に帰ったりするようになって……」

「時々って……週に何回くらい？」

「二、三回」

「デートしたり、電話したりも？」

保田くんは深々と頭を垂らし、目の前が真っ白に染まるほどの吐息をはきだした。

「電話とかはしてない。デートもしたことないよ。でも……」

「でも？」

「キスした」

「………」

「したっていうか、されたっていうか」

「………」

「………」

「何回？」

バカなことをきいた、と思ったときは遅かった。瞬時に私をふりむいた保田くんの目には、哀れむような蔑《さげす》むような色がくっきりと浮かんでいた。

「一回。でも、そんなのって大事なこと？」

上りの電車が軋《きし》み声を上げて接近し、目の前で停車した。乗車口から降り立つ人の数は時間が経つごとに少なくなっていく。何かを始めるには遅すぎるせいか、ケーキの箱や花の影も失せている。

――でも、そんなのって大事なこと？

通りすぎていく色とりどりのコートがぼやけてかすんだ。私は奥歯をふんばり、わからない、と首を揺らした。わからない……。

一瞬のときめきよりも毎日の会話が、二人をつなぐとぎれることのない糸が大事だと思ったから、それを大事にしようとした。私がそれを守り続けるかぎり、二人の仲は永遠だろうとかたくなに信じた。でも、そんなのは愚にもつかない幻想にすぎなかったのかもしれない。永遠なんてどこにもありはしなくて、毎日の電話も、週いちのデートも、たった一度のキスの前にあっけなくひれふしてしまう。

「わかった」

わからないわからないわからない、となおも心でくりかえしながら、私はたった一つだけ、ようやくわかったことを口にした。

「もうおしまいって、わかったから」

保田くんの顔が安堵《あんど》にゆるんだ。静かに解き放たれていくその様を見たとき、私の中に突如広がったのもまた解放感と呼ぶ以外になさそうなふしぎな感覚だったのだが、それでも私はベンチから離れようとせず、次第に底冷えの厳しくなっていく夜の中に震え続けた。

最後の責任でも果たすように私の横に居続ける保田くんと、この期に及んでまだ一緒にいたかったわけではない。ただ私がここにいるかぎり、保田くんにわかりやすいキスをあげたあの子もまた、この冷たい夜のどこかで保田くんを待ち、震え続けるのだ、と。そんなようなことをぼんやり思いながら、聖夜の凍える月を仰いでいた。

第九章　卒　業

小学校の卒業式は、物心がついて初めての大がかりな別れにすっかりあてられて、二週間後には同じ中学で再会する友達とまで抱きあって号泣した。

中学校の卒業式では、長い刑期を勤めあげた囚人みたいな気分で、明日から無関係になるすべてのものと訣別《けつべつ》した。

そして、高校。私はこの段になってようやく落ちついた心持ちで、ごくまっとうな、卒業らしい卒業を迎えようとしていた。つまりなんというか、こう、門出のような気分で。

花冷えの三月。近所の川べりに連なる桜がこんなにもふくよかに、慎み深い浅紅のつぼみをふくらませていたなんて、小学校や中学の卒業の日には気がつかなかった。

無神論者の父がその朝、仏壇の前で神妙に手を合わせ、先祖代々に私の卒業を報告していたことも。式に臨む母の首に光るダイヤモンドが、悦子おばさんからのレンタル品であったことも。姉や私の入学や卒業のたびにくりかえされてきたそれらの習わしを、私は三度目の卒業を迎えて初めて知ったのだ。

それは新鮮で、そして少し胸がきゅんとなるような発見だった。駅から学校までの長い道を行くあいだも、顔見知りの面々と「最後だねー」「また遊ぼうね」と声をかけあうたびに、少し胸がきゅんとした。

まっとうな門出だ。

一時は尼寺《あまでら》にでも入ろうかと考えた私が、このような健全な精神で卒業を迎えるに至ったのには、もちろんそれなりの過程があった。

折々の小さなステップがあった。

愚かしいような、いじらしいような、ばかばかしくて目も当てられないような、それでいて真剣なリハビリの日々があった。

リハビリというのは、言うまでもなく、失恋からのリハビリだ。

こてんぱんに砕け散った保田くんとの恋は、私にそれ相応のダメージを与えた。ゾンビのように何度も這《は》いあがり、這いあがり保田くんを追いかけたおかげで、必要以上にエネルギーを消耗していたし、そんな自分を見つめ直した際のこっぱずかしさもひとしおだった。

が、それでも、失恋が本決まりとなってからの私は、我ながらほれぼれするほどにがんばったのだ。

泣いたり、焦《じ》れたり、ふさぎこんだりのすったもんだは、恋の最中《さなか》にさんざんやりつくした。今こそ脱却のとき！　そう自分に言いきかせ、あれは一種の通過儀礼だったのだと前向きに受けとめることにした。私は保田くんに愛されなかったし、愛することさえもおぼつかなかったけど、でもそれはそれで貴重な、意味のある経験だったのだ。ステップだったのだ。そうよ運命が用意してくれた大切なレッスンだったのだ……と、ユーミンの『ダンデライオン』を聴きながら、夜な夜なポジティブシンキングにいそしむ日々。それでも飽き足らずに日記までつけはじめ、「成長」「必然」「試練」「勉強」「準備」「運命」「感謝」なんて文句でページを埋めつくした。そして、夜な夜なそんな文句を綴《つづ》っていること自体、保田くんへの思いを断ちきれずにいる証拠なのだと気づいたときには、すでに高二の冬も終わりかけていた。

あのときは相当がっくりきた。

恋をしてがんばって、失恋してがんばって、いったい私は何をやってるんだろう……。

それでもいったん勢いのついてしまった空回りは急には止められず、私はその後も表面的にはまだがんばった。癒《いや》しの音楽とやらを聴いたり、短期アルバイトで気分転換をはかったり、ほかの男の子とデートをしてみたり。でも何に対しても入れこめなくて、本気になるのが怖くて、後に残るのは虚《うつ》ろな徒労感だけ。しまいには何もかもがいやになって、投げだした。

尼寺、の一語が脳裏をよぎったのは、進級前の春休み、保田くんとあの子が正式につきあいだしたという噂《うわさ》を耳にした瞬間だ。

私はもうがんばらない。二度とがんばらない。金輪際《こんりんざい》、何ひとつがんばらない……。

すっかり人生にやる気をなくした私は、そうして、なかば降りた状態で高三の春を迎えることになった。

通常、誰もが将来のために立ち上がる、進路選択の重要なシーズンを、である。

私の通っていた高校は松竹梅の梅にうぐいすが止まった程度のレベルで、大学への進学率も決して高かったわけではない。それでも三年になると「あわよくば」と受験に野心を抱き、にわか勉強家に寝返る輩《やから》が急増した。推薦、模試、偏差値、などというしんきくさい用語が飛び交い、自習の時間にみんなが本気で自習をするようになった。放課後は放課後で塾だの、予備校だの、家庭教師だのと、つきあいが悪いことこの上ない。

一方、潔く社会への進出を決めた就職組は、そんな受験組を傍目《はため》に黙々と自らの道をかためていた。資格、欠員、公務員試験、などというおやじくさい用語が飛び交い、そこにもやはり見えない壁が発生する。中にはアルバイト先への就職を早々に決めた子もいて、「二十四まで働いて、二十五に結婚して、二十八で一人目の子供を産んで、三十で二人目、三十五でマイホーム」なんて将来設計をきかされると、人生への取り組みかたの落差に戦慄《せんりつ》せずにはいられなかった。

もちろん、私のように進学も就職も決めやらない、いわば進路未定組も少なくはなかった。途中で就職組に流れる子や、受験組からこぼれおちてくる子など、人数は流動的だったものの、だいたい十二、三名。なんとはなしに教室から疎外されていった私たち未定組が、まあなるようになるさケセラセラ、という特性のもとにみるみる連帯感を強めていったのは、自然の流れといえるだろう。

進路なんて、高三になったからといって突然決まるものではない。十八歳になればおのずと理想の未来図が見えてくるわけでもない。そんなのは誰もが承知の上で、とりあえず大学へ行ったり、とりあえず就職したりするのだろうが、とりあえずも何も、私たちはまだ先のことなんてこれっぽっちも考えたくなかったのだ。

代わりに私たちのしたことは、「今を生きる」という大義名分のもと、ただ行き当たりばったりに遊び続けることだった。

毎日毎日、よくもああくだらない遊びに夢中になれたものだと思う。トランプ。花札。ちんちろりん。最初に流行《はや》ったのはこの種の賭事《かけごと》で、ごくみみっちい単位での賭けにすぎなかったにもかかわらず、私たちは人生でも賭けているかのように熱中した。結果、金銭的なトラブルが多発してこの遊びは衰退し、その後は体を動かす体育会系の遊びへと移行。ケイドロ（刑事と泥棒）という追いかけっこがブームになったこともあれば、けんだまが一世を風靡《ふうび》したこともあり、誰もがフラフープを腰に巻きつけてうねうねやっていた時期もある。

受験組や就職組からは失笑を買っていたものの、こんなふうにちゃらちゃらと時を稼いで、みんなでバカをやりながら卒業していくのなら、それはそれでいいと私は思っていた。何も考えず、何もがんばらずに遊びほうける日々は愉快で軽かったし、そうしていれば保田くんのことを忘れていられたから。

しかし、いったんついた勢いというものは、やはりそう簡単には止まらないのだった。

「俺、思ったんだけどさ、こんなふうにちまちま遊んでても、結局なんにも残らないじゃん」

みんなのまとめ役だったダンボ石黒《いしぐろ》が、突然、そんなことを言い出したのは、沖縄の梅雨入りが宣言された朝のことだった。

「高校卒業する前に、どうせならもっとこう、生産的つーか、建設的つーか、身になることをやらねーか」

「身になること？」

　私たちの辞書にはない言葉だった。

「うん、つまりこう、みんなの心にいつまでも残るような、さ。俺たちの青春の一ページに燦然《さんぜん》と輝き続けるような、そういう、ビッグなことだよ」

　心に残る。

　青春の一ページに輝く。

　ビッグ。

　見事にツボを衝《つ》かれたみんなのハートに火が灯るのがわかった。

「よし、やるか」

「最後に一旗あげようよ」

「えいえいおー」

　失恋疲れを引きずっていた私とはちがい、みんなはやはり若い活力をもてあましていたのだろう。たちまち心をひとつにし、血気盛んに立ち上がった。

　とはいえ、具体的にどんなことをやるのかという段になると、すぐさま壁にぶちあたった。「ヘビメタバンドを組もう」という数人と、「欽ちゃんの仮装大賞に出よう」という数人とで、真っ向から意見が対立したのだ。

ヘビメタvs.欽ちゃん。端《はた》から見ればどっちもどっちだが、当人同士はやる気満々で、互いに一歩も譲ろうとしない。「ヘビメタの仮装で欽ちゃんの仮装大賞に出てはどうか」との折衷案《せっちゅうあん》も出たものの、欽ちゃん組はヘビメタを聴くと頭が痛くなると言うし、ヘビメタ組は近頃の欽ちゃんを見ると胸が痛むと言う。結局、「それぞれ好きなほうをやればいいんじゃないの」というところに話は落ちついた。

それにしても……ヘビメタに、欽ちゃん。

好きなほうをといわれても、始末に困る選択肢だ。

そもそも、これってビッグなことなのか？

腹をくりかねていた私の前に第三の選択肢が差しだされたのは、その数日後のことだった。

仲間の一人である渡辺元道《もとみち》が、掃除の時間、「おりいって話がある」とめずらしくまじめな顔で私を教室のベランダへ連れだしたのだ。

「岸本。おまえ、星は好きか？」

「星って？」

「星は星だよ。夜空の星。好きか嫌いか？」

「まあ、好きだけど」

適当に答えると、元道は「よし」と力強くうなずいた。

「では、一緒にスターウォッチャーズをめざそうではないか」

「スターウォッチャーズ？」

「ま、星空案内人ってところかな」

元道は小鼻をふくらませながら説明を始めた。

我が校の天文部はこの夏、星空の観望会を計画している。八月の第二週を天文週間として校舎の屋上を開放し、一般の人々にも広く星と親しんでもらおうという計画だ。が、天文部の部員はわずか二名。何人集まるかわからないゲストを誘導し、望遠鏡の扱いかたや星の見方をレクチャーするのには、いかんせんスタッフが少なすぎる。そこで、彼らは急遽《きゅうきょ》、助っ人要員を募集することにしたのだった。

無論、ド素人《しろうと》では足手まといになるのが目に見えているため、志願者たちは放課後、四週間にわたる週三回の講習を受けて、天文部の顧問から星のノウハウを仕込まれることになる。その講習をクリアし、星空案内人にふさわしい教養を身につけた者のみが、栄《は》えあるスターウォッチャーズの称号を手に入れるのだ！

と、元道は熱くしめくくった。

「どうだ、岸本。正直に言ってくれ。おまえも一度はスターウォッチャーズなんて呼ばれてみたいだろ」

「スターウォッチャーズ、ねえ」

正直、どこかしら心くすぐられる響きではあった。天体。星団。銀河系。ああ、なんだかぞわぞわする。その広がりと瞬《また》きのほんの一部を想像しただけでも、永劫《えいごう》なる宇宙の彼方《かなた》へ頭がトリップしてしまう。

しかし、その永劫の前には講習というシビアな現実問題が立ちはだかっていた。

「いやだよ、私、講習なんて。週に三回、四週間も通ったら、バイトなら軽く二、三万はいくよ」

「でも、カルチャーセンターに通ったら四、五万は取られるぜ。それをタダで教えてくれるってんだからさ。プラス思考で行こうぜ」

「プラス思考って、私、やめたの。もうなんにもがんばらないって決めたの」

「でも、どのみちヘビメタか欽ちゃんでがんばることになるんだろ。おまえ、保田に失恋してヘビメタや欽ちゃんに走ったら、ヤケになってると思われるぜ。保田も複雑な気分だと思うよ。せめて星にしとけって」

あまりにも元道らしい物言いに、私はあきれて絶句した。仲間内では禁句の「保田」を堂々と口にするところ。直球ながらも肝心のピントがずれているところ。長身で恰幅《かっぷく》が良く、顔つきも精悍《せいかん》と言えなくもない元道が、「おもしろい人」どまりでなかなか彼女をゲットできずにいるのはこのへんに理由がありそうだ。

「そりゃ、ヘビメタや欽ちゃんよりは星のほうがマシだけど」

私は気をとりなおして元道へむきなおった。

「でも、なんで星なの？　元道、星に興味なんかあったっけ」

「星じゃない」

ベランダの手すりにぶあつい胸板を押しあて、元道は頭上をふりあおいだ。薄曇りの空にはおぼろな太陽の白い影が浮かんでいた。

「俺が求めてるのは、宇宙のロマンだよ」

「宇宙のロマン……。なんでまた」

「こないだ三組の内藤に告白して、速攻ふられたときに言われたんだ。俺といるとおもしろいけど、でも、ロマンティックな気分にはなれないって」

「だからロマンを？」

「俺、似たようなこと、もう三人の女から言われてるんだぜ。ムードがないだの、女心がわからないだの、キスはできないだの……。それに俺だって失恋早々ヘビメタとか仮装とかやりたくないしさ。どのみち俺、ヘビメタ組ならドラムで、欽ちゃん組なら裏方なの目に見えてるし」

みるみる翳《かげ》っていく太陽を遠目に、私は行きがかり上、元道の肩に力無く手を載せた。

「わかった。私たちは星組でいこう」

こうして私たちはスターウォッチャーズへの第一歩を踏みだしたのだった。

地球から見える天体は、恒星と惑星、そして衛星に大別される。肉眼で捉《とら》えることのできる星の明るさには一等星から六等星までのランクがあり、一等星は六等星の百倍明るい。星の色がちがうのは表面温度の差からで、白い星が最も高温とされる。現在、国際天文学連合の定める星座の数は八十八個。星に名前をつけることを最初に思いついたのは、紀元前三〇〇〇年のメソポタミア地方の羊飼いだった。ビッグバンによって誕生した宇宙はいまだ膨張を続け、たとえば月は今でも一年に約三センチずつ地球から遠ざかっている。

スターウォッチャーズの養成にあたり、天文部顧問の笹川《ささがわ》先生は毎回、天文にまつわる基礎知識から通《つう》な裏話まで二時間以上もノンストップで講義を行った。初回は律儀にノートを広げていた私も、最初の三十分でとても追いつけないと断念。赤経《せっけい》、赤緯《せきい》、南中《なんちゅう》、なんて用語が出てきた暁《あかつき》には数学の授業でも受けている気分になって、理数系に弱い自分は天文に不向きであることが早くも発覚した。

そもそも、たった一週間の観望会の手伝いをするために、学校の屋上からは万に一つも見えることのないオーロラの、発光現象とやらの原理について一時間以上も説明を受ける必要があるのだろうか。

最初はふしぎでならなかったが、受講を重ねるうちにだんだんわかってきた。必要か不要かなんていうのはそれこそ必要のない概念で、星好きというのは、とにかく星について語らずにはいられない人種なのだ。星にまつわることならなんでもかんでも、一分でも一秒でも長く、熱く、語りつくしたい。もっと星を知ってほしい。そして愛してほしい。そんな切なる思いがひしひしと伝わってくるのだった。

単なる好奇心で集まった受講者にとって、それは重たく、暑苦しいものだった。結果、最初にいた十二人のうち六人までが二週目には姿を消していた。元道が毎回、「岸本、行くぞ！」と宇宙にでも飛び立つような意気込みで迎えにこなければ、私だってとうの昔に逃げだしていたにちがいない。

そう、元道はすっかり星に入れこんでいたのだ。

講習の二回目、空が暗くなるのを待って校舎の屋上に天体望遠鏡を設置し、実際にみんなでのぞいてみた。ちっぽけなレンズのむこうにはこれまたちっぽけな土星の輪や、荒野みたいにざらついた月の表面が浮かんでいた。どの星も遠くてさびしそうだ。しんとした切なさにとりつかれた私に、しかし、元道は意気揚々と歩みよってきて、言ったのだ。俺、人生観が変わったよ！

「宇宙って、知れば知るほど広いし、膨大だよなあ」

四回目の講習を終えた頃には、気のせいか顔つきまでが引きしまり、言うことも大きくなっていた。

「でもさ、だからって人間がちっぽけとか、俺、そんなふうには思わねーんだよな。宇宙が広ければ広いほど、人間ひとりあたまの持ちぶんも増えるっていうか、担当範囲が広がるっていうかさ。とりあえず今んとこ、人間以外の知的生物は発見されてないわけだし。よし、がんばろうぜって、燃えてくるぜ」

講習の帰りは、たいてい七時すぎ。この日もすでに鈍い墨色《すみいろ》が空一面を埋めていた。駅までの道々、燃える思いを朗々と語り続ける元道から目をそらし、私は南天に昇りはじめた星団を見やった。

九つもの三等星が織りなす星の群れ。あれがおおかみ座であることを、今の私は知っている。でもそれ以上は知りたいと思わないし、あれが人類の担当範囲であるとも思えない。よし、がんばろうぜという気持ちにだって、ここしばらくはなったことがない。

天体望遠鏡で月をのぞいたときのような、殺伐《さつばつ》としたさびしさが私を呑《の》みこんだ。

「がんばるって、何を」

気がつくと元道に絡《から》んでいた。

「元道はこのまま星の道を進むの？　それで笹川みたいな星バカになるの？　それとも宇宙飛行士とか」

「いや、まさか。俺はただ……その、人生全体にがんばろうって話をしただけだよ。だいたい俺、来年のことはわかんねーけど、十年後は確実に寿司屋じゃん。宇宙飛行士の線はないって」

「え。お寿司屋さん、継ぐの？　元道」

「そりゃ、一人息子だしさ」

意外な告白にとまどう私に、元道は長男の顔をのぞかせた。

「寿司も好きだし。いつかはな」

「へえ。なんだ、考えてたんだ」

「おう。おまえはどうよ」

「私？」

「俺、岸本は美術の道に進むと思ってた。なんとなくだけど。美術部がんばってたし」

「………」

美術室に置きざりのキャンバスを思うと、胸がうずいた。保田くんとのすったもんだのあいだに、私の足はすっかり美術部から遠のいて、今では完全な幽霊部員と化していた。

「美術の道なんて考えてなかったよ」と、私は弁解でもするように言った。「絵を描くのは好きだし、美術部も楽しかったけど……保田くんとつきあうまではね。保田くんとつきあって、いろんなもの捨てちゃった。美術部もそう」

苦い笑いに逃げこもうとした私に、けれど元道は容赦なく言った。

「そうかな」

「え」

「ほんとに保田のせいなのかな。岸本はいろんなこと、保田に押しつけてるだけみたいな気もすっけど」

どきっとして、目が泳いで、おおかみ座がぐらついた。いったい元道は何を言ってるんだろう？　しらばっくれて、ごまかして笑って、それで終わりにしたかったけれど、顔が凍っていた。

「来年のこと考えるのって、キツいよな」

私の動揺を知ってか知らずか、元道が声をやわらげた。

「十年後ならいいんだよ。どんなにでっかい夢だって、十年後なら座りがいいっていうかさ。でも来年は近すぎて、望遠鏡で自分のニキビでものぞいてる気分になるっていうか……。さっさと就職決めたり、大学に行くって決めた奴ら、だから俺は結構すげえって尊敬してる」

でもさ、と元道は言った。

「でも、心配すんなよ。就職組や受験組が来年はどっか遠くにいるみたいに、俺たちも来年は必ずどっかにいるんだから。今はなんにも決まってなくても、いやでも、どっか遠くにいるんだからさ」

「遠くに？」

とっさに天頂へ目を馳《は》せた私に、元道は「おう」とこともなげに言った。

「だって、宇宙は膨張してるんだぜ」


宇宙は膨張している。

星と星がぐんぐん遠ざかるように、確かに私たちもその頃、それぞれの未来へと離散すべき時を迎えていたのかもしれない。

まるでその先駆けのように、二つの星が早くも私の前から遠ざかったのは、夏休みの始まる前だった。

ひとつめは、姉。短大卒業後、八丁堀《はっちょうぼり》の製薬会社で働いていた姉が、ついに念願の独り暮らしを始めたのだ。

小型トラックの荷台に収まるだけの荷物とともに、姉は西葛西《にしかさい》の小さなコーポへ移った。引っ越しの当日には恋人の武田さんも手伝いに来て、「いえいえ、べつに同棲《どうせい》するわけでは……」などと、父からのつっこみをかわしていた。絶対に反対すると思っていた母があっさり姉の独り立ちを認め、手際よく荷造りの指示など与えているのを見ると、なんだか裏切られたような気持ちさえした。

ばたばたと引っ越しのすんだ後、「アトリエにしてもいいよ」と姉の言い残した空っぽの部屋で、私はちょっと途方に暮れた。姉は就職してからめっきり帰りが遅くなり、週末は武田さんとのデートに明け暮れていたから、いてもいなくても同じようなものだと思っていたけれど、そういうことでもないのだと、ここにきて初めて気がついた。家族が一人いなくなるというのは、そういうことではないのだ、と。

家族三人の夕食や、急に隙間《すきま》の多くなった下駄箱。「早くしてよ」とせっつかれることのない、ゆったりした入浴。

それらのすべてにまだ私がなじめずにいた頃、二つめの星がこの町を離れた。

七月二週目の日曜日。まだ梅雨の明けきらない雨空の下、春子がひょっこりうちを訪ねてきたのだ。

「もしいなかったら、また来ればいいと思って。どうせすぐそこだし」

うちに来るのなんて小学校卒業以来なのに、春子はごく自然に玄関をくぐって、私の部屋にもすぐ溶けこんだ。そして冷たい麦茶を飲みながら、「東京へ引っ越すことになったの」と淡々と打ちあけた。

「東京……」

「っていっても、ほとんど埼玉みたいなところだけど。おばあちゃんちがあってね、一緒に暮らすことになったの。ほんとは私が卒業してからの話だったんだけど、この前、おばあちゃん骨折して。急に不安になったみたい」

「いつ？」

「来週の日曜日」

「そっか……」

さびしくないと言ったらうそになる。でも、さびしくなるねと口に出したら、それはそれでうそっぽくなりそうだった。だって春子とは二年前、私のバイト先でばったり顔を合わせたきりで、互いに連絡もとりあっていなかったのだから。

なのに、心が沈んだ。この町から春子が消える。それはやはり理屈ぬきの一大事だった。

「遠くなるね」

さびしくなるね、の代わりにつぶやくと、春子はこくんとうなずき、「でも」と昔のように勝気な瞳をのぞかせた。

「でも私、もう少ししたら、もっと遠くに行くよ。大学生になったら留学するの。一年くらいアメリカに、独りで」

「すごい」

「むこうで自分を鍛《きた》えてくるの。強くなりたくって。独りでも生きていけるくらい、強く強くなりたくって、自分で決めたんだ」

「春子……」

ピンとくるところがあった。

「失恋でもしたの？」

思わず声にすると、春子は少女時代、机に落書きした相合傘でも見つかったときのような顔をした。

「なんでわかるの？」

「なんとなく。その、私もしたから」

「え」

「失恋。かなりひどいのを、去年」

「紀ちゃん……」

「春子……」

二年間の空白を一足飛びにワープした一瞬だった。

それからはもう引っ越しも留学もそっちのけで、互いの失恋話を延々と語りあった。出会い。恋の予感。初めてのデート。絶頂期。衰退期。そして、別れ。結果、私はずいぶん宇佐美《うさみ》くんに詳しくなったし（遠藤くんとは友達以上恋人未満のまま終わったらしい)、春子も同じくらい保田くんに詳しくなったと思う。

でも、詳しくなるのと、その人を知ることはまた別なのかもしれない。私は宇佐美くんの誘いかたや、けんかをしたときの怒りかた、そして逃げかたに詳しくなったけど、それだけで宇佐美くんがどんな人かはわからない。しなやかによく動く顔のない人形をながめているようなもので、だから「そんな男尊女卑の時代遅れのエゴイスト、さっさと別れてよかったよ」なんて簡単に言えたのだろう。そしてまた、「そんな煮えきらない優柔不断で小さな男、紀ちゃんからふってやればよかったんだよ」などと春子が簡単に言っていたところを見ると、保田くんもまた顔のない人形にすぎなかったようだ。

なら、保田くんはいったいどんな顔をしていたのか、とふりかえると……。

私自身、なんだかぼんわりした輪郭しか見えてこない。

こんなような目。こんなような鼻。こんなような口。でも、それらはやはり人形みたいに無表情で、何も私に語りかけてはこないのだ。

初めてそんなことを思ったその日、うちで夕食のメンチカツをともにした春子を、私は家まで送っていった。いつのまにか雨は上がって、薄雲に巻かれた夜空から星がうっすら見え隠れしていた。

「あれがさそり座のアンタレスで、あれがこと座のベガ。あのへんに北斗七星があるはずで……」

頼りない点々を指先で結びながら説明すると、春子はやけに感動し、

「すごい、紀ちゃん。さすがスターウォーズ！」

「スターウォッチャーズ。しかもまだ候補生だって」

「でも、すごい。なかなかできないよ、一ヶ月も講習に通うなんて」

「っていうか、しないよね、ふつう、三年生は」

私は乾いた笑い声をたてた。

「何やってるんだろうね、こんなときに、星なんか見ちゃって。卒業してからのことかさ、クラスの子たちはなんだかんだ言いながら、みんな何か見つけてるみたいだし」

「紀ちゃんは？」

「ぜんぜん。なんにもする気がしなくて、考える気がしなくて……。ずっとそれ、失恋のせいにしてたけど、でも、ほんとは臆病《おくびょう》なだけなのかも」

「臆病？」

「いろいろ自信がないの。今のことも、先のことも。今まで生きてきたこと思い出しても、なんか失敗ばっかりだし」

「うそ」

「え」

「もっとちゃんと思い出さなきゃダメだよ、紀ちゃん」

「………」

「ちゃんと思い出したら、きっとちがうから」

春子が言って、ゆったり微笑んだ。

「だいじょうぶ。私だって臆病で、自信なくて、だから強くなりにアメリカ行くんだもん。きっと紀ちゃんにも見つかるよ。いつか何かが」

「そうかな」

「うん。紀ちゃんなら、だいじょうぶ」

ふしぎとその声は胸の奥底まですんなり降りてきた。

小学生の頃、この小さな町を毎日毎日、暗くなるまで一緒に散策した春子の声だ。この小さな世界だけを信じて、ここで生きる術《すべ》だけを手探りで学んで。

「紀ちゃんなら、って根拠はわかんないけど……。へんだね、春子が言うなら本当にだいじょうぶかも、って気がしてくる」

「春子が言うなら、の根拠もわからないけどね」

顔を見合わせて笑っているうちに、春子の家が見えてきた。

「手紙、書くね」

「うん。私も今度こそ」

小六の春休み、私立の中学へ進学する春子と手をふって別れた、あのときのように私たちは手をふりあった。

春子は私立の中学よりも遠くへ行こうとしているけれど、胸にこみあげる切なさはあの日のほどではない。私たちはまたすぐに別の誰かと出会うだろうし、何度も別れることだろう。

ただし、幼い日々の記憶をこんなにも分けあった友達とは、もう二度と出会うことがない——。

戸口に佇《たたず》んだきりの春子に背をむけて、私は暗闇《くらやみ》を切るように、走った。

『私たちの太陽系が誕生したのは、およそ五十億年前のことと言われています。まずは太陽が生まれました。太陽は、二千億もの恒星を従える銀河系の片隅にひっそり生まれたのです。恒星としてはさほど大きいほうではありませんでした。だからこそ、百億年もの長い寿命を授かることができたともいえます』

七月第三週の金曜日、スターウォッチャーズの養成講習がついに最終日を迎えた。

最後まで残ったメンバーは、私を含めてわずか五人。すでに半日授業となっていたその日、持参したお弁当を食べてから物理室へむかうと、笹川先生は五人の一人一人にねぎらいの声をかけ、「今日からあなたがたは正真正銘のスターウォッチャーズです。最後にみんなで八ミリフィルムを観《み》ましょう」と私たちを視聴覚室へいざなった。

学校中でもっとも換気が悪く、いつ来ても埃《ほこり》っぽい視聴覚室。暗幕を閉じて窓からの白光をさえぎると、舞う塵《ちり》さえも闇に呑まれて、いっぱしの小宇宙が完成する。五人が着席するのを待って、やがてスクリーンにもう一つの、本物の宇宙がざらざらと映しだされた。

『太陽は、燃えさかる水素ガスの塊です。その中心部が核融合反応を起こし、水素がヘリウムに変わる際、発生するエネルギーによって光り輝いているのです。恒星は大きければ大きいほど、輝き続けるために多くのエネルギーを必要とします。そのため、水素が枯渇するのも早く、小さな恒星に比べて寿命が短くなるのです』

それは、地球の章、月の章……と経て、太陽の章に差しかかったときだった。太陽誕生の過程をイラストで説明しながら、ナレーターはなにやらききずてならないことを語りだしたのだ。

『では、寿命が尽きると太陽はどうなるのでしょうか。水素を消費した太陽の中心部にはヘリウムが溜《た》まり、温度や密度が上がって徐々に収縮していく一方、中心部からの熱によって外層部は逆に高温となり、ふくれあがります。ぐんぐん膨張していく太陽は赤色巨星《せきしょくきょせい》と呼ばれる状態となり、やがて水星を呑みこみ、金星を呑みこみ、私たちの地球までも呑みこんでいきます。ついには白色矮星《はくしょくわいせい》と呼ばれる中心部を残して拡散し、宇宙の塵にもどるのです。冷えきった小さな星。それが約五十億年後の太陽の姿です』

食後のどろんとしたまどろみから、私は一気にはじきだされた。まさに寝込みを襲われた気分だった。

「ちょっと」

とっさに肘《ひじ》で元道をつついていた。

「きいた？」

「あ？」

「あと五十億年後に、地球は太陽に呑みこまれちゃうんだって」

「おう」

「おうって……」

「だって五十億年後の話だろ。人類なんかとっくに滅亡してるって」

「でも！」

思わず声を強めたら、前にいた一年生ににらまれた。フィルムはまだ続き、星座の章に入っている。けれど私はそれどころではなく、まさしく驚天動地の大事実に肝を抜かれていた。

地球にも終わりがあるのだ、と。

それが五十億年先でも五百億年先でも、人類が生き残っていようと滅んでいようと、とにかく行く末に必ず、逃れようのない終局が待ちうけているのだ、と。

この校舎も。私たちの家も。町も、国も、道も。あらゆる平面、あらゆる立体がいつかは完全に消滅する。世界一高い山も。世界一長い川も。世界一大きな観覧車も。その残骸《ざんがい》さえも残さず太陽の餌食《えじき》となる。万里《ばんり》の長城も。ピラミッドも。エッフェル塔も。自由の女神も。アンコールワットの遺跡も。ナイアガラの滝も。イースター島のモアイ像も。東京ディズニーランドも。美術館に眠るミケランジェロの彫刻も。いまだ修復中のダ・ヴィンチの絵も。国宝級の掛け軸も、街角のポスターも。立派な名前の薔薇《ばら》も、名もない野花も。眠れる死者たちの墓も。動物も魚も昆虫も。恐竜の化石も。ビバユーの服も、レノマのバッグも。古くから語りつがれてきた物語も。美しい歌もメロディも。世界中のラブレターも。机の落書きも。誰かを好きになったり、憎んだり、この星の至るところでくりかえされてきた人と人の営《いとな》みも。すべてが完全に消滅するときが、必ず来る。

なんてことだろう、と身震いした。

本当に、なんてことだろう……。

独りだけ宇宙の彼方へ取り残されたままフィルムが終わり、みんなが観望会での役割分担などを相談しはじめても、私はパイプ椅子の上でいつまでも呆けていた。すべての段取りが決まり、最後に笹川先生からスターウォッチャーズ認定証とスター・バッジが配られると、みんなはおおいにはしゃいでいたけれど、なぜそんなに無邪気でいられるのかわからない。

地球が終わる。地球が終わる。地球が終わってしまう……。

その日はみんなで帰路にある喫茶店へ立ち寄った。笹川先生が好きなものをおごってくれるというので、私はようやく「抹茶《まっちゃ》シェイク」と口を開いたものの、それきりまた貝のように沈黙した。すると、となりから先生が気遣わしげに声をかけてきた。

「どうしましたか」

週三日、四週間にわたる熱い講習を受けてきながら、この先生と直接話をするのは初めてだった。先生は至福の表情を星へむけるけど、地上のものを見るときはいつも少し困った顔をしていた。冴《さ》えない草色のシャツに、木彫りのループタイ。まだ若いはずなのに老人みたいなコーヒーのすすりかたをする。

ながめているうちに、私はふっと話してみたくなった。

「さっきのフィルムを観て……」

けれど、言葉が続かない。

「その……ぜんぶが終わるなら、永遠って、何ひとつ本当に、本当にないんだって

「……」

　やっぱり駄目だ。伝わらない。

　私があきらめて口を閉ざすと、先生は困った顔のまま、「ああ」とくぐもった声を返した。

「ああ、太陽の章ですね」

「えっ」

「五十億年後の地球でしょう」

「なんでわかるの」

「なんでと言われても」

　先生はますます困った顔をした。

「僕も君くらいの年の頃にあの話を知って、ずいぶんとショックを受けました。まさか地球の終末が定められていたなんて。でも、それについて考えて、考えて、考えて……、それで、今の僕があるのかもしれません」

「今の？」

「あのとき僕は決めたんです。一生、星と関わっていこう、好きなことをして生きよう、って」

「はあ。でも、なんで？」

「なんでと言われても」

もうこれ以上困らせないでほしい、というふうに先生は目を伏せ、話はそこで終わった。たったそれきりの会話だったのに、飲みかけのコーヒーカップを手の中でくるくると、所在なげにいつまでも回転させていた先生の姿がなぜだか忘れられない。

それからの数日間は諸行無常の境地だった。

私は太陽を仰ぐたびに地球の最期を思い、いつか襲いくる巨大な炎を思い、その後の虚無を思った。五十億年後に失われる運命にある多くのものたちを思った。形あるものだけじゃない。形のない小さな、でも大事なものたちをひとつひとつ数えあげていった。

それについて考えるのは、自分自身について考えることでもあった。

惜しむべき対象が物理的なものから遠のいていくにつれ、私は自らの精神を掘りおこす作業へと傾いていった。

十八歳のひたむきさと、融通のきかないかたくなさ。あんなにも懸命に自分のことを考えたのは、あとにも先にもあれっきりかもしれない。

考えて、考えて、考えて、ある日、ふいに思った。

こうしてはいられない。

卒業式は滞《とどこお》りなく始まり、進行し、そして終了した。

小学校の卒業式では卒業生よりも豪快に涙する母親の姿も見られたが、さすがに高校ともなると親のほうも貫禄《かんろく》をつけていた。中学の卒業式のように暴走族がグラウンドに押しよせ、茅野勇介を乗せて去っていくような珍事も起こらず、終始スマートにプログラムを消化。起立や着席ひとつをとっても、全員がそろうまで一苦労だった子供の頃に比べると、格段に洗練されていた。校歌や君が代の斉唱にも照れがなくなって、こうした些細《ささい》な、どうでもいいところから人は大人になっていくのかもしれないと思う。

しかし、大人でいられたのもそこまでだった。

式が終わって体育館を出るなり、私たちはたちまち列を崩してあちこちへ散開し、ブレザーのポケットに忍ばせていたカメラで撮影大会を始めた。卒業が間近に迫り、受験組、就職組、未定組の枠が取り去られた頃から、私たちのクラスでは空前の写真ブームが巻きおこっていたのだ。誰かがカメラを構えるなり、教室中のみんながどどどっ、と押しよせてポーズをとり、中央の主役の座を争って押しあいへしあい、負傷者が出るほどの大騒ぎだった。

その日も、おとなしく教室へ帰っていく群れに逆らい、「ピース、ピース」とベタなポーズをとりあっていたら、渡り廊下を美術部顧問の安楽先生が歩いてきた。

「せんせー。お世話になりました、お達者で！」

私がVサインを大きくふりかざすと、

「岸本、今年は残念だったけど……」

先生は一瞬、何かまじめなことを言いかけて、苦笑した。

「ま、これからだな。しっかりやれよ。ピース」

「ピース」

景気よくうなずき、再びフラッシュの渦へ飛びこんでいく。と、今度は担任のわめき声。

「おいっ、まっすぐ教室行けって言っただろ。こんなことしてんのうちのクラスだけだぞ。さっさと行かんと卒業証書没収！」

みんなはケイドロの刑事から逃げるように、わーっと叫んで駆けだした。

教室へと一目散にむかっていく途中、四階の廊下で一組の集団にすれちがった。後ろ姿の、つむじのあたりを見ただけで、すぐに「いる」とわかった。むこうも私に気づいたようで、猛スピードで行き交いながらもちゃんと目が合ったし、微笑みあった。

保田くんとこんなふうに微笑みあえる日がくるなんて、一時は夢にも思っていなかった。

津田沼で偶然、保田くんを見かけたのは、卒業式のほんの二週間前のことだった。

きりきりと冷たい日曜日、美容院でパーマをかけた私が一刻も早く家に帰ろうとしていると、駅へ続く大きな歩道橋のど真ん中で、誰かが手相見に捕まっていた。この歩道橋は五メートルおきに「手相の勉強をしている者ですが、手相を見せてもらえませんか」と声をかけられる危険地帯で、うっかりてのひらを広げるとろくなことは言われないから、無視して足早に突破するのが鉄則とされていた。でもいるんだよね、ときどき捕まっちゃうとろい人が……と同情のまなざしを送りつつ、私はそのわきを通りすぎようとして、はたと足を止めた。

「あ」

「あ」

保田くんだった。

フード付きのダウンをはおった彼は、右手をひょろりとした若い男に、左手をずっしりした年齢不詳の女に、それぞれ人質にとられて立ち往生していた。

思いがけない再会。こんなシチュエーションでなかったら、私はさぞかしどぎまぎしただろうし、保田くんだって少しは動揺したはずだ。けれど状況が状況なだけに、私を見る彼の瞳は明らかに「助けてくれー」と訴えていた。

やむをえず、私は彼のほうへと足を進めた。

「どうしたの？」

「いや……その、この人たちが俺のこと、不幸な星の下に生まれついたとか、家庭運が最悪とか、事故で死ぬとか、生きててもろくなことがないとか……」

保田くんが最後まで言う前に、

「そのマイナスをプラスへと転化させるメカニズムについて、これから私たちと一緒に勉強していきましょうとお話ししていたんです」

と、ひょろりとしたほうが言って、

「不幸な人間ほど、幸福を招きよせたときの感動も格別よ」

と、ずっしりしたほうが言った。

「俺、不幸じゃないって、いくら言っても信じてくれなくて……」

保田くんが心底、弱りきった声を出す。

私は三人を交互にながめ、音にならないため息を吐きだした。

保田くんとの偶然の再会。これまでそれを何十回、頭に描いてきただろう。街角で。デパートで。電車の中で。私と保田くんは思いがけず再会し、優雅にお茶などをともにする。すっかり綺麗《きれい》になった私に彼はまごつきながら、ああ、俺はなんて惜しいことをしてしまったのだ、日本一の大バカ野郎だと、悔やんでも悔やみきれない後悔の念に駆られるのだ。

　しかし、現実はこれだった。私は綺麗になるどころか、「ソバージュにしてくださ い」と頼んでパンチ頭にされてきた直後で、保田くんは見知らぬ手相見に捕まってい る。

「私、この人のこと、知ってますけど……」

と、私は成りゆき上、やむなく口をはさんだ。

「べつに不幸じゃないと思います」

ひょろりとしたほうはひょろひょろ首をゆさぶった。

「いいえ、そんなはずはありません」

「どうして」

「手相が語っています」

「でも、本人は不幸じゃないって語ってるし」

「ご自分の不幸に気づいていないだけです」

「それは不幸と言わないのでは……」

「では幸福と言いきることができますか」

「できます」と、私はこの際、言いきった。「だって保田くんは大学に合格して、引退前にバレー部のレギュラーにもなれたし、猫の病気も治ったみたいだし、それから……それに、彼女もいるし。幸せいっぱいです。明日で世界が終わっても、なんの悔いもないはずです」

ひょろりとしたのとずっしりしたのが沈黙した。勝った、と思った。保田くんもそう思ったらしく、「行こう」と私をうながして歩きだした。

まだ底冷えの続く中、早春の陽が肌の表面だけをなぐさめていくような昼さがりだった。お礼に何かおごってくれるというので、はずみで後に従うと、保田くんの足は大通りの雑踏を離れ、入りくんだ小道をジグザグと進んでいった。陽当たりの悪い路地裏のせいか、地面には三日前の積雪が残り、時折ふいに足下をすくう。私たちは無言のまま小さな公園を通りすぎ、よく吠《ほ》える犬の前を通りすぎ、泥まみれの雪だるまを通りすぎた。雪だるまは陽の当たる片面だけがひしゃげて、傾いでいた。

いったいどれくらい歩いただろう。あいかわらずのマイペースで前を行く保田くんの、その背中が雪だるまみたいに傾いで見えてきた頃、私はついに立ちどまった。

「どうしたの」

保田くんが不安げにふりかえる。

「もう少し先に喫茶店があるから。グラタン、おいしいよ」

いつも何かに身構えているような、懐かしいまなざし。

もう一年以上も経つんだな、と改めて思った。聖夜の別れから一年二ヶ月。その年月の、一日一日の、一秒一秒のおかげで私は今、こんなふうに平気に、普通の顔をしてここにいる。まだ少しどきどきする。でも苦しくはない。痛みは多少残る。でも笑えるし、しゃべれるし、ちゃんとむかいあえる。それは驚異的なことだった。

　でも、今はまだ、ここまでだ。

「どうしたの。行こうよ」

　喫茶店で保田くんとグラタンなんて食べたら、私はきっとあの頃の自分に立ち返ってしまう。そして何かを期待する。

「ありがとう。でも、やっぱりいい。お腹すいてないし、お礼してもらうほどのことでもないし」

　私は驚異的な笑顔をこしらえて言った。

「大学合格、おめでとう。機会があったら、それだけは言いたかったの」

　保田くんは反射的に「ありがとう」と微笑み返し、すぐに口許《くちもと》をひきしめた。

「岸本は……残念だったね、美大。金井からきいた」

「いいの。どうせ今年はダメもとで、度胸試しに受けただけだから」

「来年も受けるの？」

「うん。予備校で一からやりなおす」

「そっか……。その、がんばってね」

「ありがとう」

じゃあね、と踵《きびす》を返す私を、保田くんは慌て声で引きとめた。

「待ってよ。お腹すいてないなら、お茶くらいしようよ」

「いいの。ごめんね。急いでるし」

「でもせっかく会えたんだし」

「ほんとに、いいから」

私は逃げるようにして来た道を戻りはじめた。

「お茶もだめなの？」

保田くんはなぜだかむきになって追ってきた。

「少しくらいいいじゃん。俺、卒業する前にもう一度、岸本と話ができればって思ってた。あのままじゃなんていうか、後味悪いっていうか……」

「それなら私、もうだいじょうぶだから、ほんと気にしないで」

「いや、そういうんじゃなくって、ただ普通に話ができればいいなって……」

「どんな話？」

「え」

「保田くん、私に話したいことなんてある？」

「…………」

背中に困惑の気配を感じ、私はいっそう歩調を速めた。保田くんの足音が消えたので、あきらめたものと思っていたら、少しして、すごい勢いで巻き返してきた。

「悔いがある」

勢いあまって私を追いぬいた彼は、そのまま通せんぼうでもするように目の前に立ちはだかった。怒っているような、すねているような瞳。こんな顔は初めて見た。

「岸本さっき俺のこと、幸せいっぱいって、世界が明日で終わってもなんの悔いもないって言ったけど、俺にも悔いはあるよ」

「悔い？」

「岸本とキスしたかった」

瞬間、私はひどく赤い顔をしただろうが、保田くんはきっと私より赤かった。

「いつもそればっかり考えてた。デートしてるときも、電話してるときも、離れてるときも、変態みたいにいつもいつも考えてて、できればキス以外もしてみたいとか、頭の中それだけで、でも岸本は隙がないっていうか、俺も勇気ないっていうか、できなくて、別れてからもずっと、なんていうか、挫折《ざせつ》感っていうか、初めてつきあった子とキスもできなかったって、情けなくて、男として恥っていうか、汚点っていうか……」

息継ぎもせずにまくしたて、そこで力尽きた。大きく背中をかがめ、足下のぬかるみにでも語りかけるような姿勢のまま、保田くんはぴたりと静止した。

恥ずかしくて顔が上げられないのだと、しばらく待って気がついた。

「す、すき……」

声を裏返しながらも、私は保田くんを動かすために言った。

「隙がなくって、ごめんね」

「そうじゃなくって！」

保田くんはびよんと反《そ》りかえるように顔をもちあげた。

「それでもやっぱりいい思い出だって……。できなかったことも、ぜんぶひっくるめて、岸本とのこと。それが言いたかったんだ」

ようやく目と目が合わさった。

まだ耳まで赤い保田くんの、とくとくと脈打っている奥のところに、このとき、初めて触れた思いがした。

もっとかっこいいやりかたもできたはずなのに。キスのことなんて白状しなければ、保田くんはあのまま、保田くんだけはいつまでも無傷でいられたのに。

不器用な男の子だ。不器用で、素敵な子だ。

私が好きになったのは、こういう男の子だったんだ……。

「私は……」

泣かずに別れるために、私は笑って言った。

「私は、キスより結婚がしたかったよ」

「だと思ったよ」

と、保田くんも笑った。

この人に恋をしてよかったと、一年二ヶ月経って、ようやくそう思えた。


教室での別れは意外と淡泊だった。担任からの話をきいて、別れの挨拶を交わし、みんながぱらぱらと席を離れて、いくつかの塊を作りながらほうぼうへ散っていく。いつもと同じ帰りの儀式に、本物のさようならを冷静に、丹念に織りこんだ。起立や着席に手慣れたように、私たちは心の整理にも長《た》けてきたのかもしれない。あるいは、しめっぽい感情を心の内側へ封じこめることに。

むしろ校庭に群がる在校生の女の子たちのほうがにぎやかだった。校門へむかう目当ての卒業生に駆けよって花を渡したり、一緒に写真に収まったり。キャアキャアと黄色い声が飛び交う中で、乾いた土の上にぽつぽつと、無言で涙する女の子の姿も目についた。叶《かな》わずに終わった恋のかけらが桜のようにちらほらと舞っていた。

校門付近にはさらににぎやかな、卒業生を待つ保護者たちの談笑が響いていた。うちの母も誰かのお母さんと一緒に自転車置き場の前で立ち話をしていた。

「じゃあ、今夜ね」

「うん、またね」

友達と手をふって別れ、私が「おまたせ」と声をかけると、

「あら、一緒に帰るの？」

母は意外そうに目を広げ、ふだんより心持ち濃く長いまつげを何度か瞬いた。

「うん、なんで？」

「だってあなた、卒業式のあとで私と帰ったことなかったじゃない」

「そうだっけ」

「そうよ。小学生のときは荷物だけ押しつけてどこか行っちゃうし。中学のときなんて目も合わせずに素通りしてったわよ」

「さすがに高校生ともなると、敬老精神が、ねえ」

にくまれ口を叩きながら校門をくぐるとき、ダイヤモンドの光る母の首に本当の老いを垣間《かいま》見て、どきんとした。

「敬老精神、おおいに結構。今夜のお皿洗いもお願いね」

母は妙に上機嫌の浮かれた声を出す。

「っていうか私、ゆかちんとかみんなと今夜、ビッグ・イベントするんだけど」

「あら、あなた今晩、いないの？　今日はお姉ちゃんと武田さんが来るのに」

「へえ。私の卒業祝い？」

「いやだ、いないならいないって早く言ってちょうだいよ。紀子がいないなら、お寿司は四人前でいいわね。鯛《たい》は一匹冷凍して……、お赤飯は三合でよし。お寿司もあるものね」

「ねえ、私の卒業祝い？」

生暖かな南風が吹きぬけ、街路樹の若枝を揺さぶった。思わせぶりな微笑を唇に、母は右手をかざしてきれいにセットされた前髪を守った。

「景子ね、武田さんと正式に婚約するみたい」

「えっ」

春が来る。


大量のアルコールにスナック菓子、それにコンビニのおにぎりやらサンドウィッチやらを校舎の屋上へ運びこみ、念願のビッグ・イベントを決行したのは、その夜のことだ。

思えばゆるい学校だったのだろう。天文部の正式部員となった元道が笹川先生の協力を仰ぎ、観望会を開くという名目で屋上と一階の非常口の鍵を手に入れるのは、そう難しいことではなかった。

参加者は十二名。ともに宙ぶらりんの日々を送ってきた進路未定組の面々だ。結局、最後には専門学校へ流れたり、就職したり、一年浪人しての進学を決意したり……と、誰もがしぶしぶ身のふりかたを決めて、当時は「ぷう」と呼ばれていたフリーターになったのはほんの数人にすぎなかった。が、そんな中でも欽ちゃん組は仮装に、ヘビメタ組はバンドの練習にと、それぞれ取り組んではみたらしい。残念ながら欽ちゃん組は書類審査の段階で落選し、ヘビメタ組が各方面に送りつけたというデモテープも、そのまま行方不明になって終わったのだけれど。

「何がビッグで、何がビッグではないか。それは第三者による客観ではなく、あくまでやっている本人の主観によって決まる」

ダンボ石黒の発言に集約されるように、みんなは一つも落ちこまず、「やるだけやった」だの「すがすがしい敗北」だのと好きなことを言っていた。あげく、スターウォッチャーズとして名を馳せた私と元道も含めて、最後にそれぞれのビッグな成果を披露しあおうということになったのだった。

星明かりも華やぐ透明度の高い夜だった。欽ちゃん組のゆかちんと駅で待ちあわせ、約束の七時に少し遅れて校舎の屋上へ到着すると、男子四人のヘビメタ組はすでにほろ酔い加減で歌をうたっていた。中途半端に伸ばした髪をディップでかため、アンプもないのにエレキギターを抱えて。一応、オリジナルの曲らしいが、どこがどうヘビメタなのかは判然としない。無理して例えるなら、才能のないマーシーとジャンプ力のないヒロトのいるザ・ブルーハーッといったところか。

缶ビールをちびちびやりながら聴くともなしに耳を傾けていると、女子を中心とした欽ちゃん組が着替えをすませ、仮装後の姿でばたばた現れた。仮装といっても、ジャージの上から柔道着をはおり、灰色の紙を貼りつけたヘルメットを頭に載せただけ。「一休でーす」「もくねんでーす」「ちんねんでーす」などと掟破《おきてやぶ》りの自己申告をするなり、六人そろって「好き好き好き好き好き好きー好き」と『一休さん』のアニメソングを歌いだした。

「おいおい、仮装って、そんだけかよ」

「まったくとんちがきいてねーぞ、その一休」

大不評だったが、一休さんたちはとんと気にせず、気持ちよさげに熱唱し続ける。へビメタ組も負けじと再び歌いだし、思いきり歌声がかぶっていたけれど、そんなことはやはりどちらも気にしちゃいなかった。

私たちのお披露目会《ひろめかい》なんてこんなものである。途中、元道が春の星座のミニ講座を始めたものの、まともに聴講していたのは助手として側にいた私だけ。気がつくとへビメタ組も一休さんたちもライトの下に群がり、サンドウィッチやお菓子をほおばりながら酒盛りを始めていた。

「結局、ただの飲み会なんだよね」

私と元道もフェンスの前に座りこみ、本腰を入れて飲みだした。アルコールに弱い元道は早くも充血した目で、未練ありげに春宵《しゅんしょう》の空をながめている。

「やっぱ望遠鏡ないとサマになんねーよな。笹川のケチ、鍵は貸すけど、望遠鏡だけは勘弁してくれって。ふつう逆だろーが」

「だって宝物だもん。借りなくて良かったよ。壊したら末代までたたられるよ」

「こえー」

荒野のような沼地にぽつんとたたずむ私たちの高校は、あらゆる面で不便だが、光害がないので星を見るには良い環境だった。遠く見える町明かりは淡く不鮮明で、夜空の星のほうがよほど間近で光っている気がする。こんな星月夜に元道が口を閉ざしていられるわけもなく、ふたご座の兄と弟の等級がどうの、りゅうこつ座のカノープスの見つけかたがどうのと彼は熱く語り続け、ふと気がついたときにはろれつが怪しくなっていた。

「岸本。俺さ、マジ、スターウォッチャーズになって良かったよ。ありがとう」

彼は酔うと「ありがとう」を連発するクチだ。

「俺さ、あのまま卒業して、寿司屋継いで、しばらくぷうたろうやって、それから観念して板前の修業かなんかして、見合いでもして、そんなこんなで終わると思ってたんだよな、俺の一生。その俺が、なんと、スターウォッチャーズだぜ。人生、捨てたもんじゃねえよ。なあ、岸本。俺は日本一、星を愛する板前になるよ。約束する。だから岸本、おまえも日本一の画家になってくれ。約束してくれ」

「できないよ」

「なに、なんだと、どうしてだ、岸本！」

「だって私がなりたいのは画家じゃなくてデザイナーだもん。便箋《びんせん》とか、ノートとか、そういうステーショナリーグッズのデザイナー。なんか向いてる気がするの。昔からサンリオとか好きだったし」

「いいや、約束してくれ。俺は、おまえの絵を買って、一生、大事にすっから」

「できないって」

「頼む、約束してくれ」

「わかったよ」

面倒くさくなってうなずくと、すかさず「ありがとうっ」と握手を求められた。彼は酔うと握手を求めるクチでもある。右手をぶるんぶるんふりまわされながら、やれやれ、と瞳を持ちあげると、空は刻々と暮れて紺青の闇を深めていた。

夏の天文週間の終了後、普通の三年生が部活を離れる時期に美術部へもどった私は、遅蒔《おそま》きながらの進路選定に忙殺されて、星のことなどもうほとんど忘れていたけれど、こうして見上げると反射的に冬の大三角形を結んでいるのが可笑しい。

おおいぬ座のシリウスに、こいぬ座のプロキオン、それからオリオン座のベテルギウス。中でも主役はなんといってもシリウスで、このくっきりとした青白い星は、太陽の一・八倍の大きさ、そして二十六倍の明るさを持つという。大きすぎるが故《ゆえ》、輝きすぎるが故に、寿命は約五億年。

「元道」

と、私は酔いつぶれている元道をゆすりながら言った。ビールがまわってきたのか、私自身、足腰の冷えが気にならない程度に良い気分になっていた。

「ねえ、いつか私の便箋がお店に並んだら、一生大事にしなくていいから、心をこめて使い捨ててくれないかな。それで、一度でもいいから、その便箋で大事な人にラブレターを書いてくれないかな」

返事はない。かわりにライトの下から「ははうえさま、お元気ですかー」と、『一休さん』のエンディングテーマが流れてきた。これ以上ないほど物悲しいその調べに、思わず宇宙《そら》から目を降ろした。

見ると、一休さんたちは寒風から身を守るためか、みんなでぴったり寄りそうようにして合唱している。ヘビメタ組もエレキを放りだして熱心にハモっている。元道は私の横でまだ「ありがとう」だの「まかせとけ」だのとぶつぶつ言っている。隅のほうでは早くも嘔吐《おうと》している人影が見える。その人影を介抱している人影も見える。愚にもつかないことに力を尽くしている今の私たちがここにいる。自然と笑みがこみあげ、私はひとしきりへらへらと笑った。

永遠の、限りないものに憧れる。

でも、限りあるものほど、いとおしく思える。

「おーい、そこの二人。まだビールあるから、こっちおいでよ」

和尚《おしょう》さんの呼びかけに、私は「おう」と元道を引っ張って、立ち上がった。

エピローグ

あれから長い長い年月が流れて、私は今、三人の子供を抱えて夫の元道と寿司屋をきりもりしている。

というのはうそで、私は今、スケッチブックを片手に日本全国を放浪し、時折個展を開いては幸いにも好評を博して、画壇から「平成の山下清」と称されつつある。

というのもうそで、実際は高円寺《こうえんじ》にあるデザイン事務所に勤めている。

どんな未来でもありえたのだ、と今となっては思う。アイスバーの当たりはずれに一喜一憂し、自転車を主な移動手段にして、触れもせず恋にすべてを投げだすことのできたあの頃、私は未来をただ遠いものとして捉《とら》えていたけれど、それは果てしなく広いものでもあった。あっちへも行けたし、こっちへも行けた。誰もがものすごい量の燃料を蓄えていた。そしてそれをもてあましたり無駄遣いしたりしながら、徐々に探りあてたそれぞれの道のどこかに今、たどりついている。

私がたどりついたのはデザイナーの職で、主にノートや便箋などのステーショナリーグッズを手がけている。驚くべきことに、高校時代の夢が叶《かな》った。けれどここまでの道のりは決して平坦《へいたん》ではなかった。

高校卒業後、一浪して念願の美大に入った私は、しかし花の女子大生ライフに違和感を覚えて一年で中退、某デザイン事務所に見習いとして入社し、五年間しごかれた。そしてようやく大きな仕事を任されはじめた頃、クライアント会社の担当社員との不倫がバレてクビになった。その後、食品メーカーのデザイン室に転職し、一年後に寿退社、さらに二年後に相手の不倫が原因で離婚。一時は専業主婦に落ちついた私も社会復帰を余儀なくされ、生計のために契約社員として事務職に就いた数年の後、ようやく今の事務所に拾われデザイナーに復帰した。

これが、今の私の到達地点だ。

が、未来はもちろんまだ続く。アメリカ留学をした春子がなぜかスペイン人と結婚して今はバルセロナにいるように、元道が天文誌の専属カメラマンになったように(寿司屋がつぶれたのだ)、姉が双子を産んだように、私の未来にもまだ何が起こるかわからない。不況の続くこのご時世、明日には会社が倒産するかもしれないし、私だけがリストラされるかもしれない。なんせ私のデザインした商品は全然売れないので、その可能性はおおいにある。職場には妻と別居中の訳あり営業マンがいて、妙に馬の合うその男と不倫をする可能性もないではない。するとまた私はクビになるのだろうか。

生きれば生きるほど人生は込み入って、子供の頃に描いた「大人」とは似ても似つかない自分が今も手探りをしているし、一寸先も見えない毎日の中ではのんきに〈永遠〉へ思いを馳《は》せている暇もない。

だけど、私は元気だ。まだ先へ進めるし、燃料も尽きていない。あいかわらずつまずいてばかりだけれど、そのつまずきを今は恐れずに笑える。

生きれば生きるだけ、なにはさておき、人は図太くもなっていくのだろう。

どうかみんなもそうでありますように。

あの青々とした時代をともにくぐりぬけたみんなが、元気で、燃料を残して、たとえ尽きてもどこかで補充して、つまずいても笑っていますように——。

急に独りになった薄曇りの放課後みたいな、あの懐かしい風の匂いが鼻をかすめるたび、私は少しだけ足を止め、そしてまた歩きだす。

解説

北上次郎

森絵都が「小説すばる」で連載を始めたとき、ついにそのときが来たか、と胸が踊ったことを思い出す。

この作者が一九九一年に『リズム』で講談社児童文学新人賞を受賞して以来、『つきのふね』『カラフル』『DIVE!!』と傑作を書き続けてきたことは周知の通りである。私ごときが言うまでもない。児童文学界の賞をその後も幾つも取っていることから明らかなようにそちらの世界ではきちんと、いや声を大にして書いておくが、その才能を高く評価されている作家である。ところが、私のまわりには森絵都の魅力を知らない読者が少なくなかったのだ。それが悔しかった。

現代エンターテインメントはその内容の豊穣化《ほうじようか》とともに、境界線をなくしつつあるというのが定説で、いまやミステリーも青春小説もノワールも、エンターテインメントの名のもとに語られている。そういう状況を見ていると、ジャンルの壁はなくなっているようにも思われる。一昔前に比べれば、たしかに各ジャンルの垣根は低くなっている。だが、一つだけジャンルの壁が残っていて、それがジュブナイルと大人向け小説との間にそびえる壁なのである。この壁は意外に大きく、年少読者向けの小説を手に取る大人の読者はけっして多くない。

他人事《ひとごと》のように書いてはいけないな。実は私もそうだった。小野不由美の「十二国記」シリーズを第五部が出るまで知らなかったのだから、えらそうなことは言えない。だから自戒の念をこめて書くのだが、すぐれた児童文学は年少読者だけのものではない。

そうではあるのだが、しかし年少読者向けの小説をなかなか手に取りにくいのも我々の現実であるから、森絵都が「小説すばる」で連載を始めたとき、実に嬉しかったのである。この連載がまとまったら、これまで森絵都の小説を読んでいなかった読者も手に取ってくれるのではないか。森絵都って知らないけど、ちょっと面白そうだから読んでみよう。そういう人がいるのではないか。それを考えるだけで胸が踊った。そしてようやく、その連載が本になった。さあ、あなたの期待は絶対に裏切られないと書いておく。それが本書だ。

連作集である。小学三年から高校三年までのヒロインの変化と成長を描く連作集である。父と母がいる。姉がいる。同級生がいる。特別の事件はない。両親との対立、教師との対立、同級生との不和と和解、そして初恋、将来への不安。ここで描かれることは、我々が経験してきたことばかりだ。ところが森絵都の筆にかかると、それがみずみずしく蘇《よみがえ》るのである。高校を卒業するまでって何もなかったな、と今ではすっかり忘れているが、こんなにも多くのことが、感情のもつれと不安と怒りが、その日々にあったことを、森絵都は教えてくれる。実に鮮やかな我々の人生の再現だ。

家族旅行に出かける第六章「時の雨」を見られたい。ヒロインが中学三年生のときのことだが、中学に入ってから一時期ぐれていたヒロインの暴走がやや弱まっていた時期に、姉の発案でこの一家は旅行に出かけるのである。この旅行中に家族の絆《きずな》を深めようとか、非行に走った娘の心を溶かそうとか思っているのではないかと考えて、ヒロインはぐったりしながらついていくのだが、意外な展開が待っている。その構成が絶妙だ。

この項における父と母の描写も群を抜いているが、そういうキャラクター造形のうまさを語るなら、第七章「放課後の巣」一篇を読めばいい。これは高校一年になったヒロインのアルバイト生活を描く項だが、レストラン従業員を巧みに描きわけて読ませる。

つまり、構成に秀でていて、キャラクター造形まで絶妙なのである。しかも、小学三年生のお誕生会を描く第一章「永遠の出口」に見られるように、一篇ずつのドラマも秀逸で、この筆力には感服する。文句のつけようがない連作集といっていい。だから、これだけでも十分だが、もちろんこれだけではない。それが積み重なって、ヒロインの変化と成長を鮮やかに描き出すのだ。つい全体を見失いがちになるのは、一篇ずつのドラマがあまりにうますぎるからだが、子供の目には単色に見えていたものが実は単色ではなく、複雑な色合いをしていたことをヒロインが少しずつ知っていく過程が、リアルに、説得力を持って描き出されていくから、まったくすごい。

森絵都が本書刊行後、児童文学を離れたわけではないことも最後に触れておきたい。児童文学としてまとめるか、一般小説にするかは、テーマによって書き分けていくとある対談で語っているように、のびのびと自由に、その才能を着実に具現化している。本書刊行の二年後に刊行された『いつかパラソルの下で』は、大人向け小説の第二弾だったが、父親のルーツを探して兄妹と佐渡に出かけるヒロインを描いて秀逸であった。シリアスかつ軽妙な家族小説の傑作といっていい。こういうふうに森絵都は、どんどん大きくなり、深みを増している。二十一世紀の日本エンターテインメント界に欠かすことの出来ない作家になっているのだ。今のうちからお読みになっておくことを、ぜひともおすすめしておきたい。

本書はその森絵都が、児童文学を離れて新しい地平を目指した記念すべき一冊である。面白い小説はないかなと思っているあなたに贈る挨拶代わりの一冊だ。凄味のある一冊だ。

初出誌

小説すばる
一九九九年一一月号、二〇〇〇年二月号、五月号、八月号、一二月号、二〇〇一年三月号、八月号、一二月号、二〇〇二年二月号に掲載されました。

この作品は二〇〇三年三月、集英社より刊行されました。
日本音楽著作権協会（出）許諾第0600588―710号

集英社文庫 目録（日本文学）

群ようこ　母のはなし
群ようこ　衣もろもろ
室井佑月　血《あか》い花《はな》
室井佑月　作家の花道
室井佑月　ああ～ん、あんあん
室井佑月　ドラゴンフライ
室井佑月　ラブ ゴーゴー
室井佑月　ラブ ファイアー
タカコ・半沢・メロジー　もっとトマトで美食同源！
毛利志生子　風の王国
茂木健一郎　ピンチに勝てる脳
望月諒子　神の手
望月諒子　腐葉土
望月諒子　田崎教授の死を巡る 桜子准教授の考察
望月諒子　鱈目《たらめ》講師の恋と呪殺。 桜子准教授の考察
森絵都　永遠の出口
森絵都　ショート・トリップ
森絵都　屋久島ジュウソウ
森鷗外　舞姫
森鷗外　高瀬舟
森達也　A3《エースリー》(上)(下)
森博嗣　墜ちていく僕たち
森博嗣　工作少年の日々
森博嗣　ゾラ・一撃・さようなら Zola with a Blow and Goodbye
森まゆみ　寺暮らし
森まゆみ　その日暮らし
森まゆみ　旅暮らし
森まゆみ　貧楽暮らし
森まゆみ　女三人のシベリア鉄道
森まゆみ　いで湯暮らし
森まゆみ　『青鞜』の冒険 女が集まって雑誌をつくるということ
森瑤子　情事
森瑤子　嫉妬
森見登美彦　宵山万華鏡
森村誠一　壁の目 新・文学賞殺人事件
森村誠一　終着駅
森村誠一　腐蝕花壇
森村誠一　山の屍
森村誠一　砂の碑銘
森村誠一　悪しき星座《くら》
森村誠一　黒い神《み》座《くら》
森村誠一　ガラスの恋人
森村誠一　社《しゃ》奴《ど》
森村誠一　勇者の証明
森村誠一　復讐の花期 君に白い羽根を返せ
森村誠一　凍土の狩人
諸田玲子　月を吐く
諸田玲子　髭麻呂 王朝捕物控え

集英社文庫　目録（日本文学）

集英社文庫　目録（日本文学）

山本幸久　笑う招き猫
山本幸久　はなうた日和
山本幸久　男は敵、女はもっと敵
山本幸久　美晴さんランナウェイ
山本幸久　床屋さんへちょっと
山本幸久　GO!GO!アリゲーターズ
唯川恵　さよならをするために
唯川恵　彼女は恋を我慢できない
唯川恵　OL10年やりました
唯川恵　シフォンの風
唯川恵　キスよりもせつなく
唯川恵　ロンリー・コンプレックス
唯川恵　彼の隣りの席
唯川恵　ただそれだけの片想い
唯川恵　孤独で優しい夜
唯川恵　恋人はいつも不在

唯川恵　あなたへの日々
唯川恵　シングル・ブルー
唯川恵　愛しても届かない
唯川恵　イブの憂鬱
唯川恵　めまい
唯川恵　病む月
唯川恵　明日はじめる恋のために
唯川恵　海色の午後
唯川恵　肩ごしの恋人
唯川恵　ベター・ハーフ
唯川恵　今夜 誰のとなりで眠る
唯川恵　愛には少し足りない
唯川恵　彼女の嫌いな彼女
唯川恵　愛に似たもの
唯川恵　瑠璃でもなく、玻璃でもなく
唯川恵　今夜は心だけ抱いて

唯川恵　天に堕ちる
唯川恵　手のひらの砂漠
湯川豊　須賀敦子を読む
行成薫　名も無き世界のエンドロール
夢枕獏　神々の山嶺《いただき》(上)(下)
夢枕獏　黒塚 KUROZUKA
夢枕獏　ものいふ髑髏《どくろ》
養老静江　ひとりでは生きられない ある女医の95年
横森理香　凍った蜜の月
横森理香　30歳からハッピーに生きるコツ
横山秀夫　第三の時効
吉川トリコ　しゃぼん
吉川トリコ　夢見るころはすぎない
吉木伸子　あなたの肌はまだまだキレイになる スーパースキンケア術
吉沢久子　老いをたのしんで生きる方法
吉沢久子　老いのさわやかひとり暮らし

集英社文庫　目録（日本文学）

吉沢久子　花の家事ごよみ　四季を楽しむ暮らし方
吉沢久子　老いの達人幸せ歳時記
吉田修一　初恋温泉
吉田修一　あの空の下で
吉田修一　空の冒険
吉永小百合　夢の続き
吉村達也　やさしく殺して
吉村達也　別れてください
吉村達也　セカンド・ワイフ
吉村達也　禁じられた遊び
吉村達也　私の遠藤くん
吉村達也　家族会議
吉村達也　可愛いベイビー
吉村達也　危険なふたり
吉村達也　ディープ・ブルー
吉村達也　生きてるうちに、さよならを
吉村達也　鬼の棲む家
吉村達也　怪物が覗く窓
吉村達也　悪魔が囁く教会
吉村達也　卑弥呼の赤い罠
吉村達也　飛鳥の怨霊の首
吉村達也　陰陽師暗殺
吉村達也　十三匹の蟹
吉村達也　それは経費で落とそう
吉村龍一　旅のおわりは
吉村龍一　真夏のバディ
吉行あぐり　吉行和子　あぐり白寿の旅
吉行淳之介　子供の領分
米澤穂信　追想五断章
米原万里　オリガ・モリソヴナの反語法
米山公啓　医者の上にも3年
米山公啓　命の値段が決まる時
隆慶一郎　一夢庵風流記
隆慶一郎　かぶいて候
連城三紀彦　美女
連城三紀彦　隠れ菊(上)(下)
わかぎゑふ　秘密の花園
わかぎゑふ　ばかちらし
わかぎゑふ　大阪の神々
わかぎゑふ　花咲くばか娘
わかぎゑふ　大阪弁の秘密
わかぎゑふ　大阪人の掟
わかぎゑふ　大阪人、地球に迷う
わかぎゑふ　正しい大阪人の作り方
若桑みどり　クアトロ・ラガッツィ(上)(下)　天正少年使節と世界帝国
若竹七海　サンタクロースのせいにしよう
若竹七海　スクランブル
和久峻三　夢の浮橋殺人事件　あんみつ検事の捜査ファイル

集英社文庫

永遠《えいえん》の出口《でぐち》

2006年2月25日　第1刷　　定価はカバーに表示してあります。
2017年6月6日　第10刷

著　者　森《もり》　絵都《えと》
発行者　村田登志江
発行所　株式会社　集英社
東京都千代田区一ツ橋2-5-10　〒101-8050
電話　【編集部】03-3230-6095
【読者係】03-3230-6080
【販売部】03-3230-6393（書店専用）

印　刷　凸版印刷株式会社
製　本　凸版印刷株式会社

フォーマットデザイン　アリヤマデザインストア　　マークデザイン　居山浩二

ISBN978-4-08-746011-7 C0193